#3주_완성
#쉽게
#빠르게
#재미있게

초등
수학 전략

Chunjae
Makes
Chunjae

▼

[수학 전략]

기획총괄 김안나

편집개발 이근우, 김정희, 서진호, 한인숙, 김현주,
최수정, 김혜민, 박웅, 김정민

디자인총괄 김희정

표지디자인 윤순미, 안채리

내지디자인 박희춘

제작 황성진, 조규영

발행일 2022년 5월 15일 초판 2022년 5월 15일 1쇄

발행인 (주)천재교육

주소 서울시 금천구 가산로9길 54

신고번호 제2001-000018호

고객센터 1577-0902

수학전략

초등 수학 **2-2**

핵심 개념

단원별로 꼭 필요한 핵심 개념을 만화를 보면서
재미있게 익힐 수 있도록 하였습니다.

개념 돌파 전략❶, ❷

개념 돌파 전략❶에서는 단원별로
기본적인 개념을 설명하고 개념의 기초를 확인하는
문제를 제시하였습니다.
개념 돌파 전략❷에서는 기본적인 개념을 알고 있는지
문제로 확인할 수 있습니다.

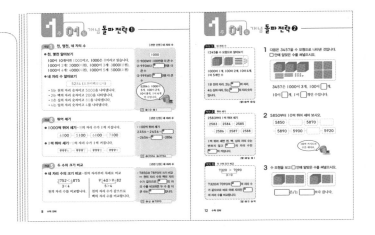

필수 체크 전략❶, ❷

필수 체크 전략❶에서는 단원별로
중요한 유형을 선택하여 반복 연습할 수 있도록
하였습니다.
필수 체크 전략❷에서는 추가적으로
중요한 유형을 선택하여 문제로 확인할 수 있도록
하였습니다.

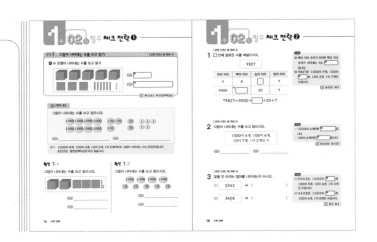

교과서 대표 전략❶, ❷

교과서 대표 전략❶에서는 단원별로 교과서에 나오는
대표적인 문제를 제시하였습니다.
교과서 대표 전략❷에서는 한 번 더 확인할 수 있는
문제를 제시하였습니다.

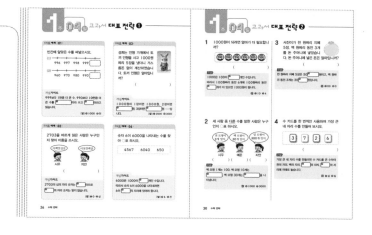

누구나 만점 전략
창의·융합·코딩 전략❶, ❷

누구나 만점 전략에서는 단원별로 꼭 풀어야 하는
문제를 제시하여 누구나 만점을 받을 수 있도록 하였습니다.
창의·융합·코딩 전략에서는 새 교육과정에서 제시하는
창의, 융합, 코딩 문제를 쉽게 접근할 수 있도록
제시하였습니다.

권말정리 마무리 전략
신유형·신경향·서술형 전략
학력진단 전략 1~3회

권말정리 마무리 전략은 만화로
마무리할 수 있게 하였습니다.
신유형·신경향·서술형 전략에서는
신유형, 신경향, 서술형 문제를 쉽게 풀 수
있도록 단계별로 제시하였습니다.
학력진단 전략은 총 3회로 전 단원의 학력을
진단할 수 있도록 구성하였습니다.

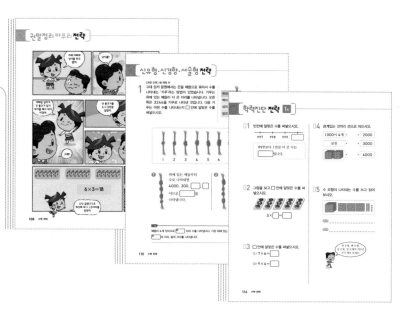

이 책의 차례

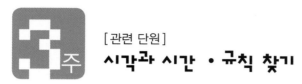

네 자리 수,
곱셈구구

❶ 천, 몇천, 네 자리 수 알아보기
❷ 1, 10, 100, 1000씩 뛰어 세기
❸ 네 자리 수의 크기 비교

❹ 2단~9단 곱셈구구
❺ 1단 곱셈구구와 0의 곱
❻ 곱셈표 알아보기

개념 1 천, 몇천, 네 자리 수

[관련 단원] 네 자리 수

○ 천, 몇천 알아보기

100이 10개이면 1000이고, 1000은 천이라고 읽습니다.
1000이 2개: 2000(이천), 1000이 3개: 3000(삼천),
1000이 4개: 4000(사천), 1000이 5개: 5000(오천)

○ 네 자리 수 알아보기

5284 (오천이백팔십사)

- 5는 천의 자리 숫자이고 5000을 나타냅니다.
- 2는 백의 자리 숫자이고 200을 나타냅니다.
- 8은 십의 자리 숫자이고 80을 나타냅니다.
- 4는 일의 자리 숫자이고 4를 나타냅니다.

1000

① 900보다 100만큼 더 큰 수
② 990보다 [❶] 만큼 더 큰 수
③ 999보다 [❷] 만큼 더 큰 수

5284는 1000이 5개, 100이 2개, 10이 8개, 1이 4개인 수입니다.

답 ❶ 10 ❷ 1

개념 2 뛰어 세기

[관련 단원] 네 자리 수

○ 1000씩 뛰어 세기 – 천의 자리 수가 1씩 커집니다.

4100 — 5100 — 6100 — 7100

○ 1씩 뛰어 세기 – 일의 자리 수가 1씩 커집니다.

9996 — 9997 — 9998 — 9999

- 100씩 뛰어 세기
2356 — 2456 — [❶]
— 2656 — [❷] — 2856

답 ❶ 2556 ❷ 2756

개념 3 두 수의 크기 비교

[관련 단원] 네 자리 수

○ 네 자리 수의 크기 비교 – 천의 자리부터 차례로 비교

3752 < 4875	9540 > 9482
3 < 4	5 > 4
천의 자리 수를 비교합니다.	천의 자리 수가 같으므로 백의 자리 수를 비교합니다.

- 7850과 7890의 크기 비교
➡ 천의 자리 수와 백의 자리 수가 같으므로 [❶] 의 자리 수를 비교하면 두 수 중 더 큰 수는 [❷] 입니다.

답 ❶ 십 ❷ 7890

1-1 수 모형이 나타내는 수를 쓰고 읽으시오.

백 모형 →

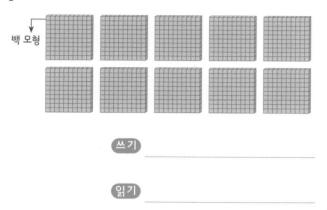

쓰기 _____

읽기 _____

• 풀이 • 100이 10개인 수는 **❶**[ ]이라고 쓰고,

❷[ ]이라고 읽습니다.   답 **❶**1000 **❷**천

1-2 수 모형이 나타내는 수를 쓰고 읽으시오.

천 모형 →

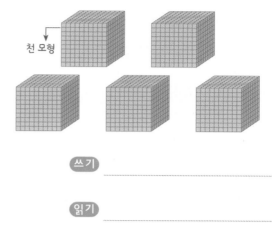

쓰기 _____

읽기 _____

2-1 10씩 뛰어 세어 보세요.

| 8220 | 8230 | 8240 |

| 8250 | | |

• 풀이 • 8220부터 10씩 뛰어 세면 **❶**[ ]의 자리 수가

❷[ ]씩 커집니다.   답 **❶**십 **❷**1

2-2 100씩 뛰어 세어 보시오.

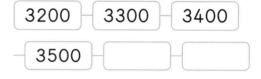

| 3200 | 3300 | 3400 |

| 3500 | | |

3-1 수 모형을 보고 두 수의 크기를 비교하여 ◯ 안에 > 또는 <를 알맞게 써넣으시오.

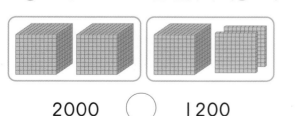

2000 ◯ 1200

• 풀이 • 2000과 1200의 **❶**[ ]모형의 수를 비교하면

2000 **❷**◯ 1200입니다.   답 **❶**천 **❷**>

3-2 수 모형을 보고 두 수의 크기를 비교하여 ◯ 안에 > 또는 <를 알맞게 써넣으시오.

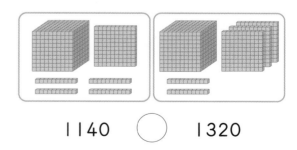

1140 ◯ 1320

개념 4 2단 곱셈구구, 5단 곱셈구구

[관련 단원] 곱셈구구

○ **2단 곱셈구구**

$2 \times 1 = 2$ } +2
$2 \times 2 = 4$ } +2
$2 \times 3 = 6$ } +2
$2 \times 4 = 8$ } +2
$2 \times 5 = 10$ } +2
$2 \times 6 = 12$ } +2
$2 \times 7 = 14$ } +2
$2 \times 8 = 16$ } +2
$2 \times 9 = 18$

○ **5단 곱셈구구**

$5 \times 1 = 5$ } +5
$5 \times 2 = 10$ } +5
$5 \times 3 = 15$ } +5
$5 \times 4 = 20$ } +5
$5 \times 5 = 25$ } +5
$5 \times 6 = 30$ } +5
$5 \times 7 = 35$ } +5
$5 \times 8 = 40$ } +5
$5 \times 9 = 45$

(참고) ■의 ▲배 ➡ ■씩 ▲묶음 ➡ ■를 ▲번 더한 수
➡ ■＋■＋……＋■ ➡ ■×▲
　　　　　　▲번

· 2단 곱셈구구에서 곱하는 수가 1씩 커지면 곱은 ❶[ ]씩 커집니다.
· 5단 곱셈구구에서 곱하는 수가 1씩 커지면 곱은 ❷[ ]씩 커집니다.

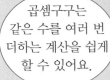

곱셈구구는 같은 수를 여러 번 더하는 계산을 쉽게 할 수 있어요.

답 ❶ 2 ❷ 5

개념 5 1단 곱셈구구와 0의 곱

[관련 단원] 곱셈구구

○ **1단 곱셈구구**

×	1	2	3	4	5	6	7	8	9
1	1	2	3	4	5	6	7	8	9

1×(어떤 수)=(어떤 수), (어떤 수)×1=(어떤 수)

○ **0의 곱**

×	1	2	3	4	5	6	7	8	9
0	0	0	0	0	0	0	0	0	0

0×(어떤 수)=0, (어떤 수)×0=0

· 1과 어떤 수의 곱은 항상 어떤 수가 됩니다.
예 $1 \times 3 = 3$,
　 $1 \times 8 = $ ❶[ ]

1단 곱셈구구에서 곱은 1씩 커집니다.

· 0과 어떤 수의 곱은 항상 0이 됩니다.
예 $0 \times 4 = 0$,
　 $0 \times 9 = $ ❷[ ]

답 ❶ 8 ❷ 0

4-1 ☐ 안에 알맞은 수를 써넣으시오.

$$2+2+2=\boxed{}$$

$$2\times3=\boxed{}$$

• **풀이** • 도넛이 2개씩 3묶음이므로 2를 **❶**☐ 번 더한 값이고,

2×**❷**☐ 으로 나타낼 수 있습니다. **답 ❶**3 **❷**3

4-2 ☐ 안에 알맞은 수를 써넣으시오.

$$5+5+5+5=\boxed{}$$

$$5\times4=\boxed{}$$

5-1 2개씩 묶어 보고 곱셈식으로 나타내시오.

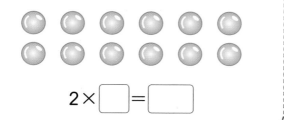

$$2\times\boxed{}=\boxed{}$$

• **풀이** • 2개씩 묶으면 **❶**☐ 묶음이 되므로

2×6=**❷**☐ 입니다. **답 ❶**6 **❷**12

5-2 5개씩 묶어 보고 곱셈식으로 나타내시오.

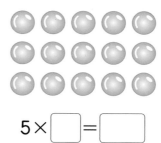

$$5\times\boxed{}=\boxed{}$$

6-1 어항에 있는 금붕어의 수를 곱셈식으로 나타내시오.

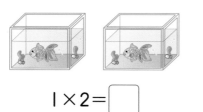

$$1\times2=\boxed{}$$

• **풀이** • 어항 1개에 금붕어가 **❶**☐ 마리씩 있으므로 금붕어의

수는 1×2=**❷**☐ 로 나타낼 수 있습니다.

답 ❶1 **❷**2

6-2 어항에 있는 금붕어의 수를 곱셈식으로 나타내시오.

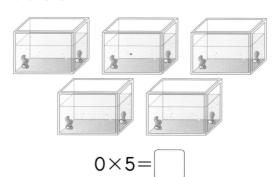

$$0\times5=\boxed{}$$

예제 1　네 자리 수

1245를 수 모형으로 알아보기

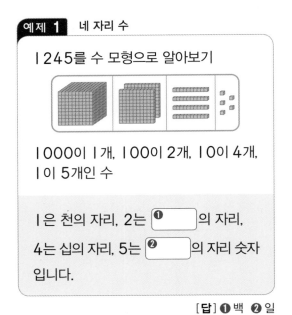

1000이 1개, 100이 2개, 10이 4개,
1이 5개인 수

1은 천의 자리, 2는 [❶   ]의 자리,
4는 십의 자리, 5는 [❷   ]의 자리 숫자
입니다.

[답] ❶ 백 ❷ 일

예제 2　뛰어 세기

2583부터 1씩 뛰어 세기

2583 - 2584 - 2585

- 2586 - 2587 - 2588

1씩 뛰어 세면 천, 백, 십의 자리 수는
변하지 않고 [❶   ]의 자리 수만
[❷   ]씩 커집니다.

[답] ❶ 일 ❷ 1

예제 3　두 수의 크기 비교

7320 > 7090
3>0

7320과 7090의 [❶   ]의 자리 수
가 같으므로 바로 아래 자리인 [❷   ]
의 자리 수를 비교합니다.

[답] ❶ 천 ❷ 백

1 다음은 3457을 수 모형으로 나타낸 것입니다. □ 안에 알맞은 수를 써넣으시오.

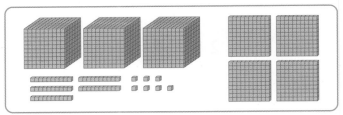

3457은 1000이 3개, 100이 □개,
10이 □개, 1이 □개인 수입니다.

2 5850부터 10씩 뛰어 세어 보시오.

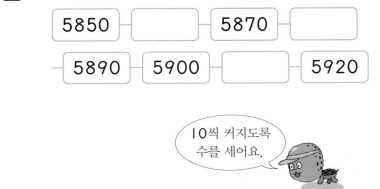

| 5850 | | | 5870 | |
| 5890 | 5900 | | 5920 |

10씩 커지도록
수를 세어요.

3 수 모형을 보고 □ 안에 알맞은 수를 써넣으시오.

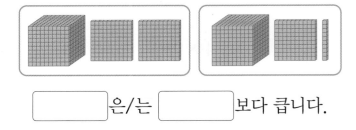

□ 은/는 □ 보다 큽니다.

예제 4 3단, 6단 곱셈구구

$3 \times 1 = 3$	$6 \times 1 = 6$
$3 \times 2 = 6$	$6 \times 2 = 12$
$3 \times 3 = 9$	$6 \times 3 = 18$
$3 \times 4 = 12$	$6 \times 4 = 24$
$3 \times 5 = 15$	$6 \times 5 = 30$
$3 \times 6 = ❶$	$6 \times 6 = 36$
$3 \times 7 = 21$	$6 \times 7 = 42$
$3 \times 8 = 24$	$6 \times 8 = ❷$
$3 \times 9 = 27$	$6 \times 9 = 54$

[답] ❶ 18 ❷ 48

예제 5 4단, 8단 곱셈구구

$4 \times 1 = 4$	$8 \times 1 = 8$
$4 \times 2 = 8$	$8 \times 2 = 16$
$4 \times 3 = 12$	$8 \times 3 = 24$
$4 \times 4 = 16$	$8 \times 4 = ❷$
$4 \times 5 = 20$	$8 \times 5 = 40$
$4 \times 6 = 24$	$8 \times 6 = 48$
$4 \times 7 = ❶$	$8 \times 7 = 56$
$4 \times 8 = 32$	$8 \times 8 = 64$
$4 \times 9 = 36$	$8 \times 9 = 72$

[답] ❶ 28 ❷ 32

예제 6 7단, 9단 곱셈구구

$7 \times 1 = 7$	$9 \times 1 = 9$
$7 \times 2 = 14$	$9 \times 2 = 18$
$7 \times 3 = 21$	$9 \times 3 = 27$
$7 \times 4 = 28$	$9 \times 4 = 36$
$7 \times 5 = 35$	$9 \times 5 = 45$
$7 \times 6 = 42$	$9 \times 6 = 54$
$7 \times 7 = 49$	$9 \times 7 = ❷$
$7 \times 8 = 56$	$9 \times 8 = 72$
$7 \times 9 = ❶$	$9 \times 9 = 81$

[답] ❶ 63 ❷ 63

4 구슬의 개수를 곱셈식으로 나타내시오.

(1)
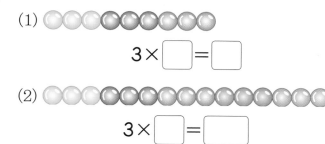

$$3 \times \boxed{} = \boxed{}$$

(2)

$$3 \times \boxed{} = \boxed{}$$

5 복숭아의 개수를 곱셈식으로 나타내시오.

(1)
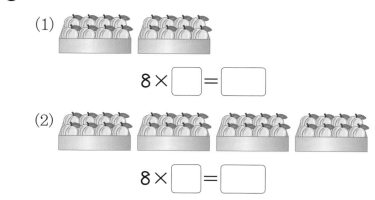

$$8 \times \boxed{} = \boxed{}$$

(2)

$$8 \times \boxed{} = \boxed{}$$

6 만두의 개수를 곱셈식으로 나타내시오.

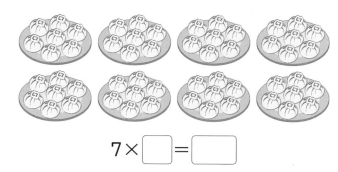

$$7 \times \boxed{} = \boxed{}$$

전략 1 그림이 나타내는 수를 쓰고 읽기   [관련 단원] 네 자리 수

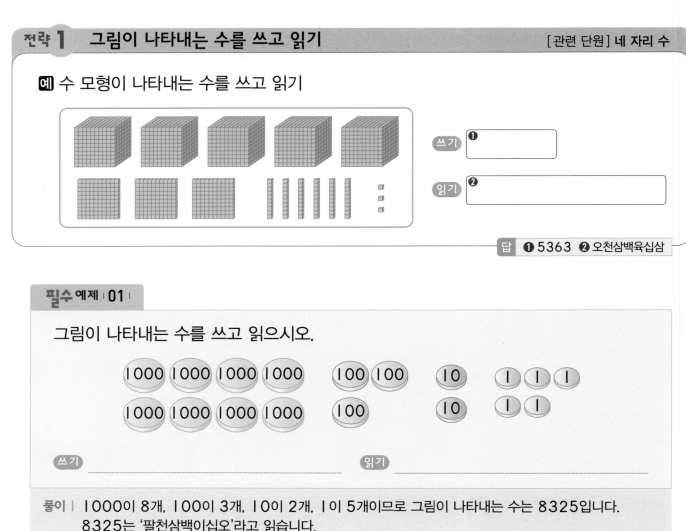

예 수 모형이 나타내는 수를 쓰고 읽기

쓰기 ❶

읽기 ❷

답 ❶ 5363 ❷ 오천삼백육십삼

필수 예제 01

그림이 나타내는 수를 쓰고 읽으시오.

| 1000 | 1000 | 1000 | 1000 | | 100 | 100 | | 10 | | 1 | 1 | 1 |
| 1000 | 1000 | 1000 | 1000 | | 100 | | | 10 | | 1 | 1 | |

쓰기 _____   읽기 _____

풀이 | 1000이 8개, 100이 3개, 10이 2개, 1이 5개이므로 그림이 나타내는 수는 8325입니다.
8325는 '팔천삼백이십오'라고 읽습니다.

확인 1-1

그림이 나타내는 수를 쓰고 읽으시오.

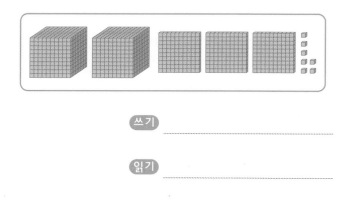

쓰기 _____

읽기 _____

확인 1-2

그림이 나타내는 수를 쓰고 읽으시오.

| 1000 | 1000 | 1000 | 1000 |
| 10 | 10 | 10 | 10 | 10 |

쓰기 _____

읽기 _____

전략 2 각 자리의 숫자가 나타내는 값 알아보기 [관련 단원] 네 자리 수

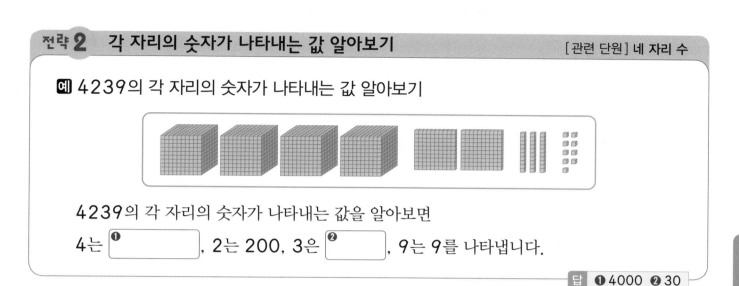

예 4239의 각 자리의 숫자가 나타내는 값 알아보기

4239의 각 자리의 숫자가 나타내는 값을 알아보면

4는 ❶ [   ], 2는 200, 3은 ❷ [   ], 9는 9를 나타냅니다.

답 ❶ 4000 ❷ 30

필수 예제 02

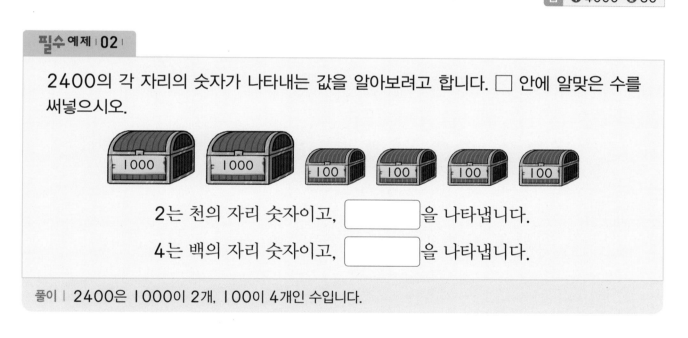

2400의 각 자리의 숫자가 나타내는 값을 알아보려고 합니다. □ 안에 알맞은 수를 써넣으시오.

2는 천의 자리 숫자이고, [   ]을 나타냅니다.

4는 백의 자리 숫자이고, [   ]을 나타냅니다.

풀이 | 2400은 1000이 2개, 100이 4개인 수입니다.

확인 2-1

□ 안에 알맞은 수나 말을 써넣으시오.

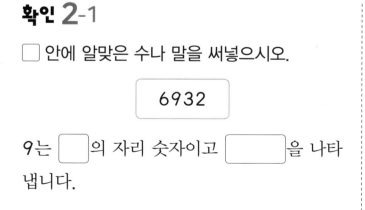

6932

9는 [ ]의 자리 숫자이고 [   ]을 나타 냅니다.

확인 2-2

□ 안에 알맞은 수나 말을 써넣으시오.

2048

8은 [ ]의 자리 숫자이고 [   ]을 나타냅 니다.

전략 **3**   곱셈구구 알아보기

[관련 단원] 곱셈구구

예 곱셈식에 맞게 ◯를 그리고 ☐ 안에 알맞은 수 쓰기

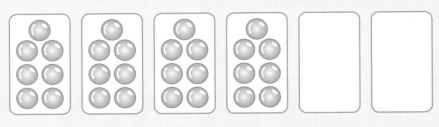

☐씩 △묶음은
☐×△로
나타냅니다.

$5 \times 5 =$ ❷

답 ❶ [그림] ❷ 25

필수 예제 | 03 |

곱셈식에 맞게 ◯를 그리고 ☐ 안에 알맞은 수를 써넣으시오.

$7 \times 6 =$ ☐

풀이 | 7×6은 7씩 6묶음이므로 빈 곳에 ◯를 7개씩 2묶음 그립니다.
➡ $7 \times 6 = 7 + 7 + 7 + 7 + 7 + 7 = 42$입니다.

확인 **3**-1

곱셈식을 수직선에 나타내고 ☐ 안에 알맞은
수를 써넣으시오.

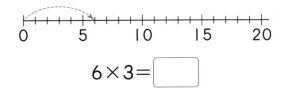

$6 \times 3 =$ ☐

확인 **3**-2

곱셈식을 수직선에 나타내고 ☐ 안에 알맞은
수를 써넣으시오.

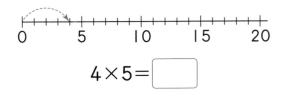

$4 \times 5 =$ ☐

전략 4 계산한 결과 비교하기

[관련 단원] 곱셈구구

예 계산한 결과가 더 큰 것을 찾아 기호 쓰기

곱셈구구를 외워 보세요.

㉠ $7 \times 5 =$ [**❶**], ㉡ $3 \times 9 =$ [**❷**] 이므로

계산 결과가 더 큰 것을 찾아 기호를 쓰면 [**❸**] 입니다.

답 ❶ 35 ❷ 27 ❸ ㉠

필수예제 04

계산한 결과가 더 큰 것을 찾아 기호를 쓰시오.

( )

풀이 | ㉠ $4 \times 8 = 32$, ㉡ $6 \times 6 = 36$이므로 계산 결과가 더 큰 것은 ㉡입니다.

확인 4-1

계산 결과가 같은 식을 찾아 ○표 하시오.

4×3

| 5×4 | 2×6 |
| 6×3 | 7×2 |

확인 4-2

계산 결과가 같은 식을 찾아 ○표 하시오.

6×4

| 2×9 | 4×7 |
| 5×8 | 8×3 |

[관련 단원] 네 자리 수

1 ☐ 안에 알맞은 수를 써넣으시오.

9827

천의 자리	백의 자리	십의 자리	일의 자리
9	8	☐	7
9000	❶ ☐	20	7

❷ 9827 = 9000 + ☐ + 20 + 7

[관련 단원] 네 자리 수

2 다음이 나타내는 수를 쓰고 읽으시오.

1000이 6개, 100이 4개,
10이 7개, 1이 2개인 수

쓰기 _____ 읽기 _____

[관련 단원] 네 자리 수

3 밑줄 친 숫자는 얼마를 나타내는지 쓰시오.

(1) <u>5</u>562 ( )

(2) 340<u>8</u> ( )

[관련 단원] **곱셈구구**

4 곱셈식이 옳게 되도록 이으시오.

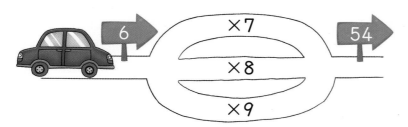

Tip

6단 곱셈구구를 외워 곱이 54가 되는
경우를 찾으면

$6 \times$ ❶[ ] $=$ ❷[ ] 입니다.

답 ❶9 ❷54

[관련 단원] **곱셈구구**

5 곱셈구구가 <u>틀린</u> 것을 찾아 기호를 쓰시오.

| ㉠ $2 \times 8 = 16$ | ㉡ $3 \times 5 = 15$ |
| ㉢ $6 \times 2 = 12$ | ㉣ $7 \times 3 = 18$ |

(   )

Tip

2×8은 2씩 8묶음, 3×5는 3씩 5묶
음, 6×2는 6씩 ❶[ ] 묶음, 7×3
은 ❷[ ] 씩 3묶음을 나타냅니다.

답 ❶2 ❷7

[관련 단원] **곱셈구구**

6 쌓기나무 한 개의 길이는 5 cm입니다. 쌓기나무 8개의 길이는 몇 cm인지 ☐ 안에 알맞은 수를 써넣으시오.

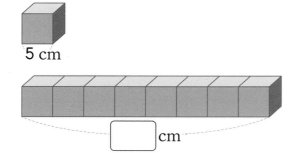

5 cm

[   ] cm

Tip

쌓기나무 한 개의 길이는 ❶[ ] cm이
므로 쌓기나무 8개의 길이는

$5 \times 8 =$ ❷[ ] (cm)입니다.

답 ❶5 ❷40

쌓기나무 8개가
한 줄로 이어져 있으므로
5 cm를 8번 더한
길이입니다.

전략 1 규칙 찾아 뛰어 세기   [관련 단원] 네 자리 수

예 뛰어 세는 규칙을 찾아 빈칸에 수 쓰기

| 7415 | 7515 | 7615 | ❶ | 7815 | 7915 |

어느 자리의 수가 변하고 있는지 알아보세요.

➡ 백의 자리 수가 1씩 커집니다.

➡ 7415부터 ❷ [   ]씩 뛰어 세었습니다.

답 ❶ 7715 ❷ 100

필수 예제 01

다음은 2300부터 일정한 수만큼 뛰어 센 것입니다. 빈칸에 알맞은 수를 써넣고, 몇 씩 뛰어 세었는지 쓰시오.

| 2300 | 2310 | 2320 | | | |

➡ 2300부터 [   ]씩 뛰어 세었습니다.

풀이 | 2300, 2310, 2320으로 십의 자리 수가 1씩 커지고 있으므로 2300부터 10씩 뛰어 세었습니다. 따라서 빈칸에 2330, 2340, 2350을 차례로 씁니다.

확인 1-1

규칙을 찾아 뛰어 세어 보시오.

| 3884 | 3894 | | |

| 3924 | 3934 | | 3954 |

확인 1-2

규칙을 찾아 뛰어 세어 보시오.

| 1726 | 1826 | | |

| 2126 | 2226 | | 2426 |

전략 **2** 수의 크기 비교하기

예 표에 수를 써넣고 수의 크기 비교하기

	천의 자리	백의 자리	십의 자리	일의 자리
5712 ➡	5	❶	1	2
6902 ➡	❷	9	0	2

5712 ❸◯ 6902

천의 자리부터 차례로 크기를 비교합니다.

답 ❶ 7 ❷ 6 ❸ <

필수 예제 02

빈칸에 알맞은 수를 써넣은 후 두 수의 크기를 비교하여 ◯ 안에 > 또는 <를 알맞게 써넣으시오.

	천의 자리	백의 자리	십의 자리	일의 자리
9306 ➡	9		0	6
9060 ➡			6	0

9306 ◯ 9060

풀이 | 두 수의 천의 자리 수는 같으므로 백의 자리 수를 비교하면 9306이 9060보다 큽니다.

확인 **2**-1

◯ 안에 > 또는 <를 알맞게 써넣으시오.

(1) 6280 ◯ 6231

(2) 2001 ◯ 2100

확인 **2**-2

◯ 안에 > 또는 <를 알맞게 써넣으시오.

(1) 7352 ◯ 9005

(2) 8808 ◯ 8008

전략 3 　1단 곱셈구구와 0의 곱

[관련 단원] 곱셈구구

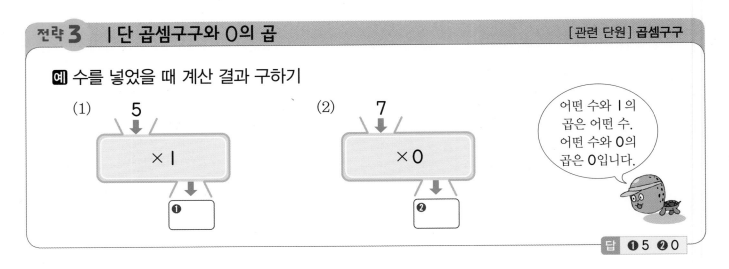

예 수를 넣었을 때 계산 결과 구하기

(1) 5 → ×1 → ❶

(2) 7 → ×0 → ❷

어떤 수와 1의 곱은 어떤 수. 어떤 수와 0의 곱은 0입니다.

답 ❶ 5 ❷ 0

필수예제 03

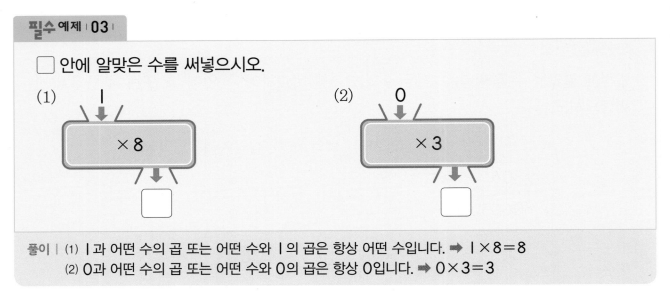

□ 안에 알맞은 수를 써넣으시오.

(1) 1 → ×8 → □

(2) 0 → ×3 → □

풀이 | (1) 1과 어떤 수의 곱 또는 어떤 수와 1의 곱은 항상 어떤 수입니다. ➡ 1×8=8
　　　(2) 0과 어떤 수의 곱 또는 어떤 수와 0의 곱은 항상 0입니다. ➡ 0×3=3

확인 3-1

빈칸에 알맞은 수를 써넣으시오.

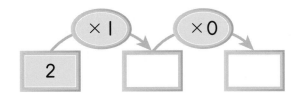

2 → ×1 → □ → ×0 → □

확인 3-2

빈칸에 알맞은 수를 써넣으시오.

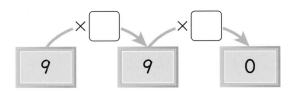

9 → ×□ → 9 → ×□ → 0

전략 4 곱셈표 완성하기

[관련 단원] 곱셈구구

예 빈칸에 알맞은 수를 써넣어 곱셈표 완성하기

가로줄과 세로줄이 만나는 칸에 두 수의 곱을 씁니다.

(1)

×	1	2
3	3	❶
4	❷	8

(2)

×	3	4
5	15	❸
6	❹	24

답 ❶ 6 ❷ 24 ❸ 20 ❹ 18

필수 예제 | 04 |

빈칸에 알맞은 수를 써넣어 곱셈표를 완성하시오.

(1)

×	5	6	9
4	20		
6		36	54
8			72

(2)

×	2	7	8
2			16
7		49	
9	18		

풀이 | 곱셈구구을 외워 곱셈표를 완성합니다.

확인 4-1

곱셈표를 완성하고, 곱이 25보다 큰 칸에 모두 색칠하시오.

×	1	2	3	4	5	6	7	8	9
3	3								
4	4								
5		10	15						
6									

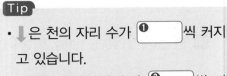

[관련 단원] 네 자리 수

1 수 배열표를 보고 물음에 답하시오.

4500	4600	4700	4800	4900
5500	5600	5700	5800	🌙
6500	6600	6700	6800	6900
7500	7600	7700	7800	7900

(1) ↓ 과 ➡ 는 각각 얼마씩 뛰어 센 것입니까?

↓ (   ), ➡ (   )

(2) 🌙 에 들어갈 수를 구하시오.

(   )

Tip

• ↓ 은 천의 자리 수가 [❶   ]씩 커지고 있습니다.
• ➡ 은 백의 자리 수가 [❷   ]씩 커지고 있습니다.

답 ❶ 1 ❷ 1

가로와 세로로 몇씩 커지는지 살펴보세요.

[관련 단원] 네 자리 수

2 두 수 중 더 작은 수를 아래에 써넣으시오.

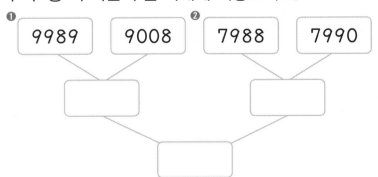

❶ 9989   9008   ❷ 7988   7990

Tip

❶ 천의 자리 수가 같으면 [❶   ]의 자리 수를 비교합니다.
❷ 천과 백의 자리 수가 같으면 [❷   ]의 자리 수를 비교합니다.

답 ❶ 백 ❷ 십

[관련 단원] 곱셈구구

3 다음 중 곱이 <u>다른</u> 것은 어느 것입니까? …… (　　　)

① 1×0　　　② 0×8　　　③ 9×0

④ 1×1　　　⑤ 0×5

[관련 단원] 곱셈구구

4 한 팀에 선수가 6명 있습니다. 8팀이 모여서 배구 경기를 한다면 선수는 모두 몇 명입니까?

（　　　　　　　）

[관련 단원] 곱셈구구

5 곱셈표를 보고 물음에 답하시오.

×	2	3	4	5	6
2	4				
3			12		
4					
5	10			25	
6					

(1) 빈칸에 알맞은 수를 써넣어 곱셈표를 완성하시오.

(2) 곱셈표에서 4×6과 곱이 같은 곱셈구구를 쓰시오.

（　　　　　　　）

□×△와 △×□의 값은 같아요.

대표 예제 01

빈칸에 알맞은 수를 써넣으시오.

(1) —+———+———+———+———+—
996 997 998 999 [ ]

(2) —+———+———+———+———+—
960 970 980 990 [ ]

개념가이드

999보다 I만큼 더 큰 수, 990보다 I0만큼 더
큰 수를 ❶[ ]이라 쓰고 ❷[ ]이라고
읽습니다.

[답] ❶ 1000 ❷ 천

대표 예제 02

2703을 바르게 읽은 사람은 누구인
지 찾아 이름을 쓰시오.

이백칠십삼 — 시우
이천칠백삼 — 지안

(   )

개념가이드

2703의 십의 자리 숫자는 ❶[ ]이므로
❷[ ]의 자리 숫자는 읽지 않습니다.

[답] ❶ 0 ❷ 십

대표 예제 03

성희는 인형 가게에서 토
끼 인형을 사고 I000원
짜리 5장을 냈더니 거스
름돈 없이 계산하였습니
다. 토끼 인형은 얼마입니
까?

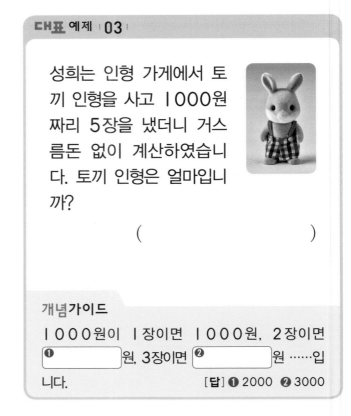

(   )

개념가이드

I000원이 I장이면 I000원, 2장이면
❶[ ]원, 3장이면 ❷[ ]원 ……입
니다.

[답] ❶ 2000 ❷ 3000

대표 예제 04

숫자 6이 6000을 나타내는 수를 찾
아 ○표 하시오.

| 4567 | 6040 | 650 |

개념가이드

6000은 I000이 ❶[ ]개인 수입니다.
따라서 숫자 6이 6000을 나타내려면
6이 ❷[ ]의 자리에 있어야 합니다.

[답] ❶ 6 ❷ 천

1씩 커지도록 수를 세어 봐.

대표 예제 | 05 |

1씩 뛰어 세어 보시오.

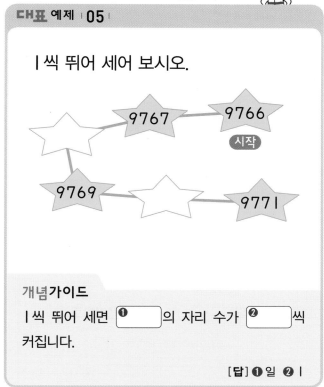

개념가이드

1씩 뛰어 세면 ❶[ ]의 자리 수가 ❷[ ]씩 커집니다.

[답] ❶일 ❷1

대표 예제 | 06 |

뛰어 세기를 하였습니다. 빈 곳에 알맞은 수를 써넣으시오.

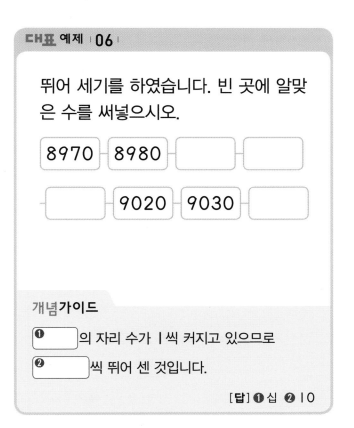

개념가이드

❶[ ]의 자리 수가 1씩 커지고 있으므로 ❷[ ]씩 뛰어 센 것입니다.

[답] ❶십 ❷10

대표 예제 | 07 |

수의 크기를 비교하여 가장 작은 수부터 차례대로 쓰시오.

| 2524 | 3800 | 2084 |

(   )

개념가이드

천의 자리, ❶[ ]의 자리, ❷[ ]의 자리, 일의 자리 수를 차례대로 비교합니다.

[답] ❶백 ❷십

대표 예제 | 08 |

더 큰 수를 찾아 기호를 쓰시오.

㉠ 1000이 3개, 10이 8개, 1이 9개인 수
㉡ 삼천이백구

(   )

개념가이드

㉠에서 100은 0개이므로 백의 자리 숫자는 ❶[ ]입니다.
㉡에서 십의 자리 숫자는 ❷[ ]입니다.

[답] ❶0 ❷0

대표 예제 | 09 |

□ 안에 알맞은 수를 써넣으시오

$$4+4+4+4+4 = \boxed{}$$

$$4 \times 5 = \boxed{}$$

같은 수를 여러 번 더하는 계산은 곱셈으로 쉽게 계산할 수 있어요.

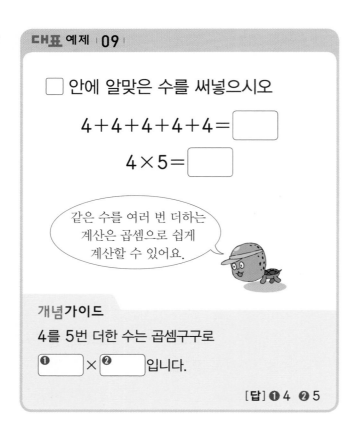

개념가이드

4를 5번 더한 수는 곱셈구구로

$\boxed{❶} \times \boxed{❷}$ 입니다.

[답] ❶ 4 ❷ 5

대표 예제 | 11 |

6개씩 묶고 곱셈식으로 나타내시오.

$$6 \times \boxed{} = \boxed{}$$

개념가이드

벽돌을 6개씩 묶으면 $\boxed{❶}$ 묶음이므로

$6 \times \boxed{❷}$ 으로 나타낼 수 있습니다.

[답] ❶ 3 ❷ 3

대표 예제 | 10 |

6×3이 되도록 빈 곳에 ◯를 그리고
6×3은 6×2보다 얼마나 큰지 쓰시오

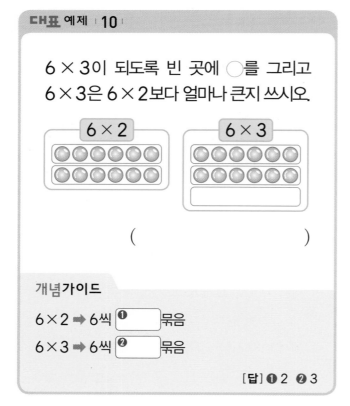

(   )

개념가이드

$6 \times 2 \Rightarrow 6$씩 $\boxed{❶}$ 묶음

$6 \times 3 \Rightarrow 6$씩 $\boxed{❷}$ 묶음

[답] ❶ 2 ❷ 3

대표 예제 | 12 |

곱셈구구의 값을 찾아 이으시오.

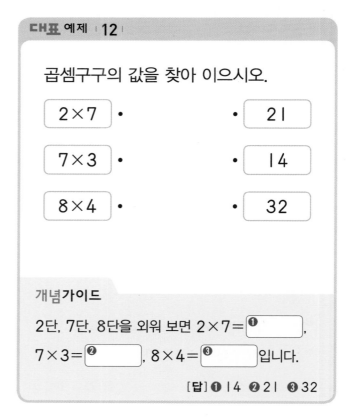

개념가이드

2단, 7단, 8단을 외워 보면 $2 \times 7 = \boxed{❶}$,

$7 \times 3 = \boxed{❷}$, $8 \times 4 = \boxed{❸}$ 입니다.

[답] ❶ 14 ❷ 21 ❸ 32

넌 최고로 잘하고 있어.

▶정답 및 풀이 6쪽

대표 예제 | 13 |

가장 큰 수를 찾아 기호를 쓰시오.

| ㉠ 0×9 | ㉡ 1×3 |
| ㉢ 4×1 | ㉣ 5×0 |

(   )

개념가이드

0과 어떤 수의 곱은 항상 [❶   ]이고,

[❷   ]과 어떤 수의 곱은 항상 어떤 수입니다.

[답] ❶ 0 ❷ 1

대표 예제 | 15 |

도토리가 12개 있습니다. ☐ 안에 알맞은 수를 써넣으시오.

$$2 \times \boxed{} = 12$$

$$\boxed{} \times 2 = 12$$

개념가이드

도토리 12개를 2개씩 묶으면 [❶   ]묶음이고,

[❷   ]개씩 묶으면 2묶음입니다.

[답] ❶ 6 ❷ 6

대표 예제 | 14 |

사탕이 한 접시에 7개씩 있습니다. 접시 6개에 있는 사탕은 모두 몇 개입니까?

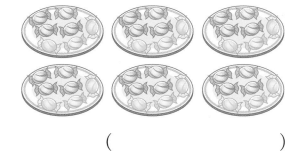

(   )

개념가이드

사탕의 개수를 덧셈식으로 나타내면 7을 [❶   ]번 더한 값이고, 곱셈식으로 나타내면

7×[❷   ]입니다.

[답] ❶ 6 ❷ 6

대표 예제 | 16 |

8명의 친구가 가위바위보를 하였는데 모두 보를 냈습니다. 펼친 손가락은 모두 몇 개입니까?

보

(   )

개념가이드

8명의 친구가 모두 손가락 5개를 펼쳤으므로 펼친 손가락은 5개씩 [❶   ]묶음 ➡ 5×[❷   ]입니다.

[답] ❶ 8 ❷ 8

1 1000원이 되려면 얼마가 더 필요합니까?

(   )

Tip

1000은 100이 [❶   ]개인 수입니다.

따라서 100원짜리 동전 6개에 100원짜리 동전 [❷   ]개가 더 있으면 1000원이 됩니다.

답 ❶ 10 ❷ 4

2 세 사람 중 다른 수를 말한 사람은 누구인지 ○표 하시오.

시우   예준   지안

(   ) (   ) (   )

Tip

백 모형 1개는 100, 백 모형 10개는 [❶   ], 백 모형 30개는 [❷   ]을 나타냅니다.

답 ❶ 1000 ❷ 3000

3 서진이가 천 원짜리 지폐 5장, 백 원짜리 동전 3개를 돈 주머니에 넣었습니다. 돈 주머니에 넣은 돈은 얼마입니까?

(   )

Tip

천 원짜리 지폐 5장은 50[❶   ]원이고, 백 원짜리 동전 3개는 30[❷   ]원입니다.

답 ❶ 00 ❷ 0

4 수 카드를 한 번씩만 사용하여 가장 큰 네 자리 수를 만들어 보시오.

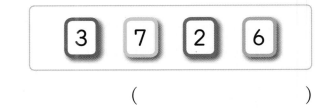

(   )

Tip

가장 큰 네 자리 수를 만들려면 수 카드를 큰 수부터 천의 자리, 백의 자리, [❶   ]의 자리, [❷   ]의 자리에 차례로 놓습니다.

답 ❶ 십 ❷ 일

5 달걀이 한 팩에 6개씩 담겨 있습니다. 4팩에 담겨 있는 달걀은 모두 몇 개인지 곱셈식을 쓰고 답을 구하시오.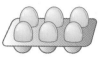

곱셈식 _____

답 _____

Tip
달걀이 6개씩 4묶음으로 달걀은 모두 몇 개인지 곱셈식을 세우면 6×❶[   ]=❷[   ]입니다.

답 ❶ 4 ❷ 24

6 7단에서 곱셈구구의 값을 찾아 이어 보시오.

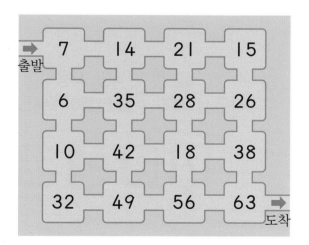

Tip
7단 곱셈구구의 값을 차례로 알아보면 7, 14, 21, ❶[   ], 35, ❷[   ], 49……입니다.

답 ❶ 28 ❷ 42

7 모형의 개수를 옳게 말한 것을 찾아 기호를 쓰시오.

㉠ 3＋3＋3＋3으로 3을 4번 더해서 구할 수 있습니다.
㉡ 3×2에 3을 더해서 구할 수 있습니다.

(_____)

Tip
모형의 개수는 3씩 ❶[   ]묶음이므로 3씩 3묶음에 ❷[   ]을 더해서 구할 수 있습니다. 답 ❶ 4 ❷ 3

8 보기 와 같이 수 카드를 한 번씩만 사용하여 □ 안에 알맞은 수를 써넣으시오.

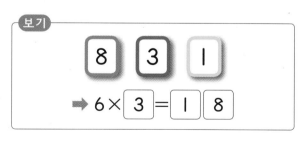

보기
8 3 1
➡ 6× 3 = 1 8

2 8 7
➡ 9× □ = □ □

Tip
9×㉠=㉡㉢에서 ㉠에 2, ❶[   ], ❷[   ]을 차례로 넣었을 때 곱셈식을 만들 수 있는지 살펴봅니다.

답 ❶ 8 ❷ 7

01 다음이 나타내는 수를 쓰시오.

(1) | 이천오십 |

( )

(2) | 1000이 8개인 수 |

( )

(3) | 1000이 6개, 100이 4개인 수 |

( )

02 ☐ 안에 알맞은 수를 써넣으시오.

2182

=2000+ ☐ + ☐ +2

03 숫자 3이 나타내는 값이 가장 큰 수에 ○표, 가장 작은 수에 △표 하시오.

| 2310 3804 6693 |

04 9월에는 저금통이 5020원이 있었습니다. 10월, 11월, 12월에 한 달마다 1000원씩 저금을 한다면 10월, 11월, 12월에는 각각 얼마가 됩니까?

10월 ( )
11월 ( )
12월 ( )

05 수 카드를 한 번씩만 사용하여 가장 작은 네 자리 수를 만들어 보시오.

| 9 | 2 | 1 | 7 |

( )

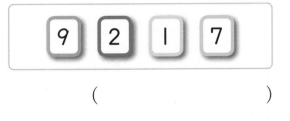

가장 작은 네 자리 수를 만들려면 가장 작은 수부터 높은 자리에 놓습니다.

06 □ 안에 알맞은 수를 써넣으시오.

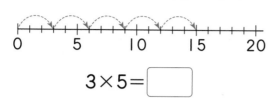

$$3 \times 5 = \boxed{}$$

07 7단 곱셈구구로 뛴 전체 거리를 구하는 곱셈식을 쓰고 답을 구하시오.

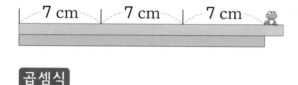

곱셈식 _____

답 _____

08 곱셈구구의 값이 같은 것을 찾아 이어 보시오.

3×7	•	•	4×4
8×2	•	•	3×6
9×2	•	•	7×3

09 딱지가 모두 몇 개인지 여러 가지 곱셈식으로 나타내시오.

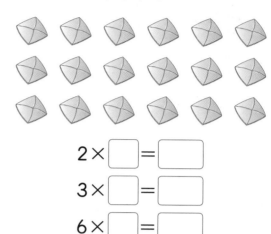

$$2 \times \boxed{} = \boxed{}$$

$$3 \times \boxed{} = \boxed{}$$

$$6 \times \boxed{} = \boxed{}$$

$$9 \times \boxed{} = \boxed{}$$

10 공을 꺼내어 공에 적힌 수만큼 점수를 얻는 놀이를 하였습니다. 다음과 같이 공을 꺼냈을 때 얻은 점수는 몇 점인지 구하시오.

> 0이 적힌 공이 3번, 1이 적힌 공이 5번 나왔습니다.

(_____)

문제 해결

1 백 원짜리가 10개이면 얼마인지 수를 쓰고 읽으시오.

쓰기 [　　　] 원　　　읽기 [　] 원

2 필통에 연필이 6 × 3만큼 들어가려면 필통에 들어가야 하는 연필은 몇 자루입니까?

( )

문제 해결

1 7524원만큼 색칠해 보시오.

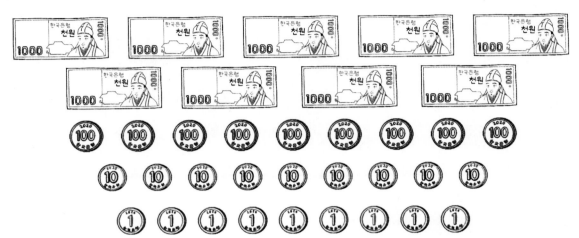

Tip

7524는 1000이 7개, 100이 ❶[   ]개, 10이 2개, 1이 ❷[   ]개인 수입니다.

[답] ❶ 5 ❷ 4

창의 융합

2 고대 이집트에서 수를 표현한 방법을 보고 고대 이집트 수를 현재의 수로 나타내시오.

고대 이집트의 수	l	∩	�健	𓄤
현재의 수	1	10	100	1000

보기

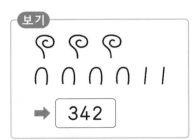
➡ 342

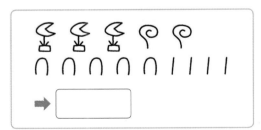
➡ [   ]

Tip

𓄤(1000)이 3개, ℚ(100)이 2개, ∩(10)이 ❶[   ]개, l(1)이 ❷[   ]개인 수를 네 자리 수로 나타냅니다.

[답] ❶ 5 ❷ 4

코딩

3 화살표 방향으로 차례로 곱셈식을 계산했을 때 ♥에 알맞은 수를 구하시오.

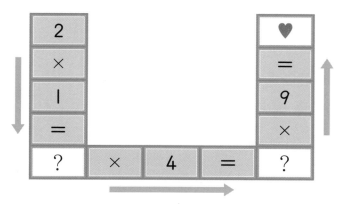

(   )

Tip

첫 번째 물음표에 들어갈 수는 $2 \times 1 = $ ❶   ,

두 번째 물음표에 들어갈 수는 ❷ $\times 4 = $ ❸   입니다.

[답] ❶ 2   ❷ 2   ❸ 8

창의 융합

4 같은 수만큼 점이 그려진 카드가 7장 있습니다. 카드에 그려진 점은 모두 몇 개인지 곱셈식을 쓰고 답을 구하시오.

곱셈식 _____   **답** _____

Tip

점이 6개씩 ❶   장에 그려져 있으면 곱셈식 $6 \times$ ❷   로 나타내어 구할 수 있습니다.

[답] ❶ 7   ❷ 7

코딩

5 보기 의 화살표의 규칙에 따라 빈칸에 알맞은 수를 써넣으시오.

보기

➡ : 1000만큼 뛰어 세기

➡ : 100만큼 뛰어 세기

⬇ : 10만큼 뛰어 세기

⬇ : 1만큼 뛰어 세기

7031

Tip

1000씩 뛰어 세면 천의 자리 수가 1씩 커지고, 100씩 뛰어 세면 백의 자리 수가 1씩 커지고, 10씩 뛰어 세면 십의 자리 수가 [❶]씩 커지고, 1씩 뛰어 세면 일의 자리 수가 [❷]씩 커집니다.

[답] ❶ 1 ❷ 1

문제 해결

6 세호는 블록을 사용하여 다음과 같은 모양을 만들었습니다. 다음 모양을 만드는 데 사용한 블록은 모두 몇 개인지 ☐ 안에 알맞은 수를 써넣고 답을 구하시오.

4× ☐ 과 ☐ ×2를 더하면 사용한 블록은 모두 몇 개인지 구할 수 있어.

사용한 블록 (   )

Tip

두 부분으로 나누어 블록의 수를 구해 보면 위쪽은 4개씩 [❶]줄, 아래쪽은 [❷]개씩 2줄입니다.

[답] ❶ 3 ❷ 7

추론

7 준식이가 식당에서 음식을 주문하려고 합니다. 그런데 몇 개의 숫자는 가려져서 보이지 않습니다. 가격이 가장 싼 음식을 주문하려면 무엇을 주문해야 합니까?

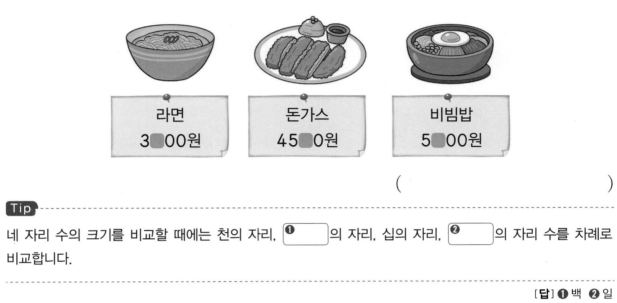

( )

Tip

네 자리 수의 크기를 비교할 때에는 천의 자리, **①** [ ]의 자리, 십의 자리, **②** [ ]의 자리 수를 차례로 비교합니다.

[답] **①** 백 **②** 일

추론

8 나는 어떤 수인지 구하시오.

> 나는 어떤 수일까요?
> • 9단 곱셈구구의 곱입니다.
> • 6×3보다 크고 6×5보다 작습니다.

( )

Tip

9단 곱셈구구의 곱은 9, 18, 27, **①** [ ]……입니다.

이 중 6×3보다 크고, 6×**②** [ ]보다 작은 수를 찾습니다.

[답] **①** 36 **②** 5

길이 재기, 표와 그래프

수학 전략

❶ cm보다 더 큰 단위 알아보기
❷ 자로 길이 재기
❸ 길이의 합과 차 구하기

❹ 자료를 보고 표로 나타내기
❺ 그래프로 나타내기
❻ 표와 그래프의 내용 알아보기

좋아하는 간식별 학생 수

간식	떡볶이	치킨	피자	합계
학생 수 (명)	5	7	5	17

개념 1 cm보다 더 큰 단위 알아보기

[관련 단원] 길이 재기

○ **1 m 알아보기**

100 cm는 1 m와 같습니다. 1 m는 1 미터라고 읽습니다.

$$100 \text{ cm} = 1 \text{ m}$$

○ **1 m보다 긴 길이 알아보기**

1 m 20 cm를 1 미터 20 센티미터라고 읽습니다.

$$120 \text{ cm} = 1 \text{ m } 20 \text{ cm}$$

· 100 cm = 1 m
200 cm = 2 m
300 cm = [❶____] m
400 cm = 4 m
[❷____] cm = 5 m

· 120 cm는 1 m보다 20 cm 더 깁니다.
120 cm를 1 m 20 cm라고도 씁니다.

답 ❶ 3 ❷ 500

개념 2 자로 길이 재기

[관련 단원] 길이 재기

○ **자로 길이 재는 방법**

① 물건의 한끝을 줄자의 눈금 0에 맞춥니다.
② 물건의 다른 쪽 끝에 있는 줄자의 눈금을 읽습니다.

1 m 60 cm

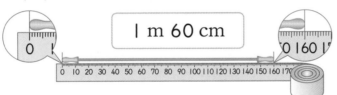

물건의 길이를 줄자로 재었을 때 눈금이 160이면

160 cm
= [❶____] m [❷____] cm
입니다.

답 ❶ 1 ❷ 60

개념 3 길이의 합과 차 구하기

[관련 단원] 길이 재기

○ **길이의 합**

```
    1 m  50 cm
+   2 m  30 cm
─────────────
    3 m  80 cm
```

m는 m끼리,
cm는 cm끼리 더합니다.

○ **길이의 차**

```
    4 m  90 cm
−   1 m  60 cm
─────────────
    3 m  30 cm
```

m는 m끼리,
cm는 cm끼리 뺍니다.

· 1 m 50 cm + 2 m 30 cm
  = (1 + 2) m + (50 + 30) cm
  = 3 m [❶____] cm
· 4 m 90 cm − 1 m 60 cm
  = (4 − 1) m + (90 − 60) cm
  = [❷____] m 30 cm

답 ❶ 80 ❷ 3

1-1 길이를 바르게 쓰고 읽으시오.

2 m

쓰기 _____ 읽기 2 [ ]

• **풀이** • 숫자는 크게, m는 ❶[ ]게 씁니다.

m는 ❷[ ]라고 읽습니다.

답 ❶ 작 ❷ 미터

1-2 길이를 바르게 읽으시오.

(1) [3 m 70 cm]

읽기 _____

(2) [6 m 40 cm]

읽기 _____

2-1 자에서 화살표가 가리키는 눈금을 읽으시오.

[ ] cm   [ ] m [ ] cm

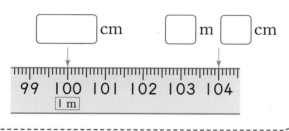

• **풀이** • 자의 눈금이 100이므로 ❶[ ] cm입니다.

자의 눈금이 104이므로 ❷[ ] m 4 cm입니다.

답 ❶ 100 ❷ 1

2-2 허리띠의 길이를 두 가지 방법으로 나타내시오.

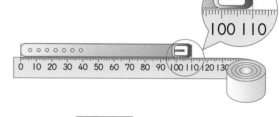

① [ ] cm

② [ ] m [ ] cm

3-1 ☐ 안에 알맞은 수를 써넣으시오.

1 m 35 cm + 3 m 55 cm

= [ ] m [ ] cm

• **풀이** • m는 ❶[ ]끼리, cm는 ❷[ ]끼리 더합니다.

답 ❶ m ❷ cm

3-2 ☐ 안에 알맞은 수를 써넣으시오.

5 m 60 cm − 2 m 15 cm

= [ ] m [ ] cm

개념 4 자료를 보고 표로 나타내기

[관련 단원] 표와 그래프

○ 자료 알아보기

동우네 반 학생들이 좋아하는 색깔

동우	민준	희연	혜진	지아	준호	성희

효승	정민	현아	재석	영석	민아	민선

○ 표로 나타내기

동우네 반 학생들이 좋아하는 색깔별 학생 수

색깔	초록	빨강	파랑	합계
학생 수(명)	6	5	3	14

자료와 표 중 누가 어떤 색깔을 좋아하는지 알 수 있는 것은 ❶ [　　　]이고, 좋아하는 색깔별 학생 수와 전체 학생 수를 쉽게 알 수 있는 것은 ❷ [　　　]입니다.

(1) 자료를 보고 알 수 있는 내용
　예 민준이가 좋아하는 색깔은 빨강입니다.

(2) 표를 보고 알 수 있는 내용
　예 파랑을 좋아하는 학생은 3명입니다.

답 ❶ 자료 ❷ 표

개념 5 그래프로 나타내기

[관련 단원] 표와 그래프

○ 그래프로 나타내기

동우네 반 학생들이 좋아하는 색깔별 학생 수

학생 수(명) \ 색깔	초록	빨강	파랑
6	○		
5	○	○	
4	○	○	
3	○	○	○
2	○	○	○
1	○	○	○

• 그래프로 나타내는 순서

① 가로와 ❶ [　　　]에 어떤 것을 쓸지 정합니다.

② 가로와 세로를 각각 몇 칸으로 할지 정합니다.

③ 학생 수를 ○로 표시합니다.

④ 그래프의 ❷ [　　　]을 씁니다.

답 ❶ 세로 ❷ 제목

4-1 모둠 학생들이 좋아하는 운동을 조사하였습니다. 자료를 보고 표로 나타내시오.

모둠 학생들이 좋아하는 운동

우진	진희	진엽	지훈	서진

선화	재민	수현	석진	주영

모둠 학생들이 좋아하는 운동별 학생 수

운동	⚽	🏀	⚾	합계
학생 수 (명)				

4-2 모둠 학생들이 좋아하는 채소를 조사하였습니다. 자료를 보고 표로 나타내시오.

모둠 학생들이 좋아하는 채소

진수	호범	지수	민준	석주

준수	연지	현석	지아	민희

모둠 학생들이 좋아하는 채소별 학생 수

채소	🥒	🥕	🧅	합계
학생 수 (명)				

• **풀이** • 자료를 하나씩 셀 때마다 / 표시를 하면 모든 자료를 빠뜨리지 ❶ _____ 셀 수 있습니다. 답 ❶ 않고

5-1 위 **4-1**을 보고 ○를 이용하여 그래프로 나타내시오.

모둠 학생들이 좋아하는 운동별 학생 수

4			
3			
2			
1			
학생 수 (명) \ 운동	⚽	🏀	⚾

• **풀이** • 좋아하는 운동별 학생 수만큼 ❶ _____ 를 아래에서 위로 한 칸에 ❷ _____ 개씩 빈칸 없이 그립니다.

답 ❶ ○ ❷ 1

5-2 위 **4-2**를 보고 ○를 이용하여 그래프로 나타내시오.

모둠 학생들이 좋아하는 채소별 학생 수

5			
4			
3			
2			
1			
학생 수 (명) \ 채소	🥒	🥕	🧅

예제 1 길이의 합

```
    3 m   25 cm
+   2 m   50 cm
    5 m   75 cm
```

25 cm와 50 cm의 합인 ❶[___]cm 를 cm 단위에 맞춰서 쓰고, 3 m와 2 m의 합인 ❷[___]m를 m 단위에 맞춰서 씁니다.

[답] ❶ 75 ❷ 5

예제 2 길이의 차

```
    4 m   60 cm
-   1 m   35 cm
    3 m   25 cm
```

60 cm에서 35 cm를 뺀 값인 ❶[___]cm를 cm 단위에 맞춰서 쓰고, 4 m에서 1 m를 뺀 값인 ❷[___]m를 m 단위에 맞춰서 씁니다.

[답] ❶ 25 ❷ 3

예제 3 길이 어림하기

몸의 일부를 이용하여 길이 어림하기

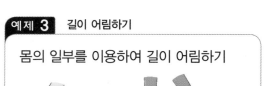

뼘은 걸❶[___]에 비해 ❷[___]길 이를 잴 때 좋습니다.

[답] ❶ 음 ❷ 짧은

---

1 길이의 합을 구하시오.

```
    4 m   45 cm
+   3 m   20 cm
  [  ] m  [  ] cm
```

cm는 cm끼리, m는 m끼리 더합니다.

2 길이의 차를 구하시오.

```
    6 m   75 cm
-   3 m   40 cm
  [  ] m  [  ] cm
```

cm는 cm끼리, m는 m끼리 뺍니다.

3 몸의 일부를 이용하여 1 m를 재면 약 몇 걸음입니까?

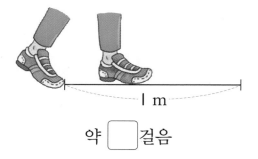

1 m

약 [ ] 걸음

예제 4 표의 내용 알아보기

좋아하는 과일별 학생 수

과일	감	귤	배	합계
학생 수(명)	4	3	2	9

• 감을 좋아하는 학생은 4명입니다.
• 조사한 전체 학생 수는 9명입니다.

• 표로 나타내면 편리한 점
① 항목별 [❶]를 알아보기 편리합니다.
② 조사한 전체 수를 알아보기 [❷]합니다.

[답] ❶ 수 ❷ 편리

4 선우네 반 학생들이 가고 싶은 현장 체험 학습 장소를 조사하여 나타낸 표입니다. 놀이공원에 가고 싶은 학생은 몇 명입니까?

가고 싶은 현장 체험 학습 장소별 학생 수

장소	동물원	과학관	놀이공원	박물관	합계
학생 수(명)	5	7	10	3	25

( )

예제 5 그래프의 내용 알아보기

좋아하는 과일별 학생 수

4	○		
3	○	○	
2	○	○	○
1	○	○	○
학생 수(명)\과일	감	귤	배

• 가장 많은 학생들이 좋아하는 과일은 감입니다.
• 가장 적은 학생들이 좋아하는 과일은 배입니다.

• 그래프로 나타내면 편리한 점
가장 많은 것과 가장 [❶] 것을 한눈에 알아보기 [❷]합니다.

[답] ❶ 적은 ❷ 편리

5 지민이네 모둠 학생들이 좋아하는 꽃을 조사하여 나타낸 그래프입니다. 가장 많은 학생들이 좋아하는 꽃은 무엇이고, 몇 명이 좋아합니까?

좋아하는 꽃별 학생 수

5			○
4	○		○
3	○		○
2	○		○
1	○	○	○
학생 수(명)\꽃	장미	국화	튤립

( ), ( )

전략 1 1 m보다 긴 길이 알아보기 [관련 단원] 길이 재기

예 몇 cm를 몇 m 몇 cm로 나타내기

(1) 247 cm = **❶** ☐ m 47 cm

(2) 530 cm = 5 m **❷** ☐ cm

100 cm=1 m,
200 cm=2 m,
300 cm=3 m……
임을 이용합니다.

답 ❶ 2 ❷ 30

필수 예제 01

길이가 같은 것끼리 선으로 이어 보시오.

365 cm •	• 3 m 5 cm
305 cm •	• 3 m 60 cm
360 cm •	• 3 m 65 cm

풀이 | 365 cm=300 cm+65 cm=3 m 65 cm
305 cm=300 cm+5 cm=3 m 5 cm
360 cm=300 cm+60 cm=3 m 60 cm

확인 1-1

길이가 더 긴 것을 찾아 기호를 쓰시오.

㉠ 7 m 90 cm ㉡ 700 cm

(   )

확인 1-2

길이가 더 긴 것을 찾아 기호를 쓰시오.

㉠ 269 cm ㉡ 2 m 60 cm

(   )

전략 2 길이를 어림하기

[관련 단원] 길이 재기

예 몸을 이용하여 어림하기

수정이 동생과 농구 선수가 나란히 서 있습니다. 수정이 동생의 키가 1 m일 때 농구 선수의 키는 약 몇 m입니까?

농구 선수의 키는 수정이 동생의 키의 [❶   ]배이므로 약 [❶   ] m입니다.

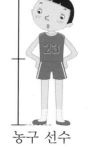

1 m

수정이 동생   농구 선수

답 ❶ 2 ❷ 2

필수 예제 | 02 |

칠판 긴 쪽의 길이는 민혁이가 양팔을 벌린 길이의 4배입니다. 칠판 긴 쪽의 길이는 약 몇 m입니까?

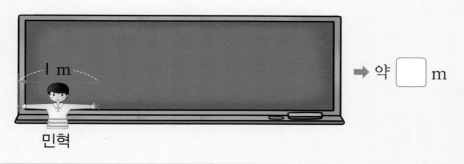

1 m

민혁

➡ 약 [   ] m

풀이 | 칠판 긴 쪽의 길이는 1 m의 4배인 약 4 m입니다.

확인 2-1

교실 문의 높이에 가까운 길이를 찾아 ○표 하시오.

| 10 cm | 2 m | 10 m |

확인 2-2

야구 방망이의 길이에 가까운 길이를 찾아 ○표 하시오.

| 50 cm | 1 m | 2 m |

전략 3 자료를 보고 표로 나타내기   [관련 단원] 표와 그래프

예 자료를 보고 표로 나타내기

자료

동현이네 반 학생들이 좋아하는 곤충

→ 나비   → 잠자리   → 무당벌레   → 메뚜기

동현	소영	수지	현민	주아	정아	승기

→ 사슴벌레

수경	지민	민정	아현	석호	기정	민기

표

동현이네 반 학생들이 좋아하는 곤충별 학생 수

곤충					합계
학생 수(명)	3	❶ ❸	2	❷ ❹	2 ❺

답 ❶ 𝍷𝍷𝍷𝍷𝍷 ❷ 𝍷𝍷𝍷𝍷 ❸ 4 ❹ 3 ❺ 14

필수 예제 03

위 전략 3의 자료를 보고 수경이가 좋아하는 곤충은 무엇인지 쓰시오.

(   )

풀이 | 자료에서 '수경'을 먼저 찾은 다음 어떤 곤충 그림이 있는지 알아봅니다.

확인 3-1

위 전략 3의 자료를 보고 사슴벌레를 좋아하는 학생의 이름을 모두 쓰시오.

(   )

확인 3-2

알맞은 말에 ○표 하시오.

조사한 학생 수를 쉽게 알 수 있는 것은 (자료 , 표)입니다.

전략 4 그래프로 나타내기

[관련 단원] 표와 그래프

예 표를 보고 그래프로 나타내기

동현이가 월별로 읽은 책 수

월	책 수(권)
9	3
10	4
11	2
합계	9

동현이가 월별로 읽은 책 수

책 수(권) \ 월	9	❷	❸
❶		○	
3	○	○	
2	○	○	○
1	○	○	○

답 ❶ 4 ❷ 10 ❸ 11

필수 예제 04

위 **전략 4**의 표를 보고 ×를 이용하여 그래프로 나타내시오.

동현이가 월별로 읽은 책 수

월 \ 책 수(권)	1	2	3	4
11				
10				
9	×			

가로는 책 수를, 세로는 월을 나타냅니다.

풀이 | 왼쪽부터 차례로 ×를 합니다.

확인 4-1

위 **전략 4**의 그래프에서 가로에 나타낸 것은 무엇입니까?

(   )

확인 4-2

위 **필수 예제 04**의 그래프에서 가로에 나타낸 것은 무엇입니까?

(   )

[관련 단원] 길이 재기

1 □ 안에 알맞은 수를 써넣으시오.

(1) 100 cm = □ m

(2) 855 cm = □ m □ cm

(3) 6 m 38 cm = □ cm

Tip

(2) 855 cm는 800 cm와
❶ □ cm의 합으로 생각할 수
있습니다.

(3) 6 m 38 cm는 ❷ □ cm와
38 cm의 합으로 생각할 수 있습니다.

답 ❶ 55 ❷ 600

[관련 단원] 길이 재기

2 길이를 나타낼 때 cm와 m 중 알맞은 단위를 □ 안에 써넣으시오.

(1) 연필의 길이는 약 18 □ 입니다.

(2) 4층 건물의 높이는 약 12 □ 입니다.

Tip

• 양팔을 벌린 길이는 약 1 ❶ □ 입니다. 주어진 길이가 1 m보다 긴지, 짧은지 생각하여 1 m보다 짧으면 cm 단위를 사용하고, 1 m보다 길면
❷ □ 단위를 사용합니다.

답 ❶ m ❷ m

[관련 단원] 길이 재기

3 정현이의 키는 몇 m 몇 cm인지 쓰시오.

128 cm

Tip

• 100 cm = ❶ □ m입니다.
따라서 128 cm를 100 cm와
❷ □ cm로 나누어서 생각합니다.

답 ❶ 1 ❷ 28

( )

[관련 단원] **표와 그래프**

4 가현이네 반 학생들이 배우고 싶은 전통 악기를 하나씩 적어서 칠판에 붙였습니다. 조사한 자료를 표로 나타내시오.

배우고 싶은 전통 악기별 학생 수

전통 악기	가야금	장구	단소	아쟁	합계
학생 수(명)					

전통 악기별 수를 세어 표를 완성합니다.

[관련 단원] **표와 그래프**

5 위 **4**를 보고 /를 이용하여 그래프로 나타내시오.

배우고 싶은 전통 악기별 학생 수

전통 악기 \ 학생 수(명)	1	2	3		
[ ]					
[ ]					
장구					
가야금	/				

전략 1 길이의 합 구하기   [관련 단원] 길이 재기

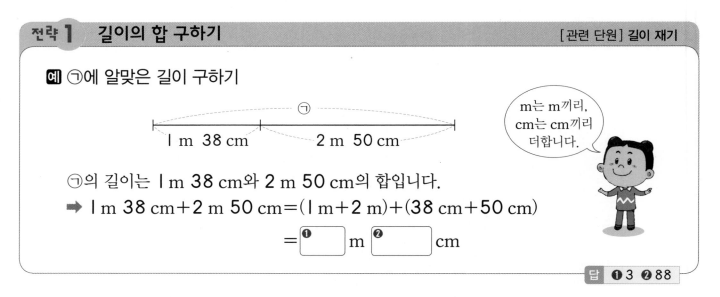

예 ㉠에 알맞은 길이 구하기

1 m 38 cm   2 m 50 cm

m는 m끼리, cm는 cm끼리 더합니다.

㉠의 길이는 1 m 38 cm와 2 m 50 cm의 합입니다.

➡ 1 m 38 cm+2 m 50 cm=(1 m+2 m)+(38 cm+50 cm)

= ❶ ☐ m ❷ ☐ cm

답 ❶ 3 ❷ 88

필수 예제 01

㉠에 알맞은 길이는 몇 m 몇 cm입니까?

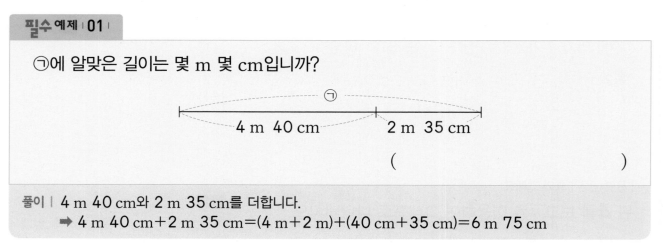

4 m 40 cm   2 m 35 cm

(   )

풀이 | 4 m 40 cm와 2 m 35 cm를 더합니다.

➡ 4 m 40 cm+2 m 35 cm=(4 m+2 m)+(40 cm+35 cm)=6 m 75 cm

확인 1-1

색 테이프의 전체 길이는 몇 m 몇 cm입니까?

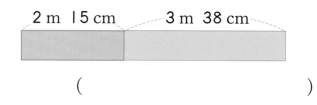

2 m 15 cm   3 m 38 cm

(   )

확인 1-2

색 테이프의 전체 길이는 몇 m 몇 cm입니까?

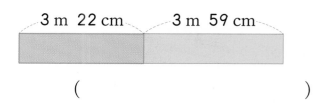

3 m 22 cm   3 m 59 cm

(   )

전략 2 길이의 차 구하기

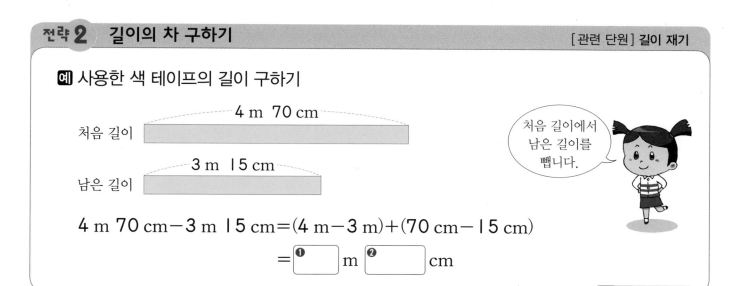

예 사용한 색 테이프의 길이 구하기

처음 길이 ┄┄┄ 4 m 70 cm ┄┄┄

남은 길이 ┄┄ 3 m 15 cm ┄┄

4 m 70 cm − 3 m 15 cm = (4 m − 3 m) + (70 cm − 15 cm)

= ❶ ☐ m ❷ ☐ cm

처음 길이에서 남은 길이를 뺍니다.

답 ❶ 1 ❷ 55

필수 예제 02

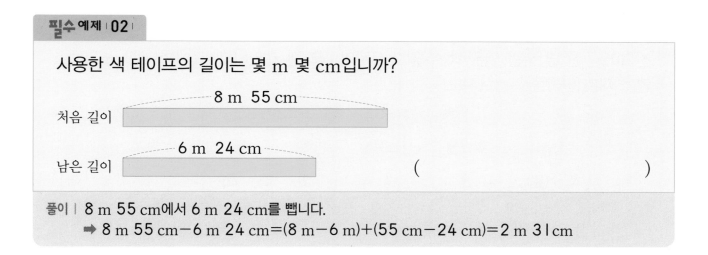

사용한 색 테이프의 길이는 몇 m 몇 cm입니까?

처음 길이 ┄┄┄ 8 m 55 cm ┄┄┄

남은 길이 ┄┄ 6 m 24 cm ┄┄

(   )

풀이 | 8 m 55 cm에서 6 m 24 cm를 뺍니다.

➡ 8 m 55 cm − 6 m 24 cm = (8 m − 6 m) + (55 cm − 24 cm) = 2 m 31 cm

확인 2-1

사용한 색 테이프의 길이는 몇 m 몇 cm입니까?

처음 길이: 5 m 60 cm
남은 길이: 1 m 27 cm

(   )

확인 2-2

사용한 색 테이프의 길이는 몇 m 몇 cm입니까?

처음 길이: 9 m 24 cm
남은 길이: 3 m 16 cm

(   )

전략 3   표의 내용 알아보기   [관련 단원] 표와 그래프

예 표의 내용 완성하기

우성이네 반 학생들의 혈액형별 학생 수

혈액형	A형	B형	O형	AB형	합계
학생 수(명)	7	4	5	2	❸

➡ 우성이네 반 학생들은 모두 7+4+5+❶ □ =❷ □ (명)입니다.

➡ 학생 수가 가장 많은 혈액형은 ❹ □ 형이고, ❺ □ 명입니다.

답 ❶2 ❷18 ❸18 ❹A ❺7

필수 예제 03

진혁이가 한 달 동안 읽은 책 수를 조사하여 나타낸 표입니다. 표에 합계를 쓰고, □ 안을 채워 문장을 완성하시오.

진혁이가 한 달 동안 읽은 종류별 책 수

종류	위인전	동화책	만화책	동시집	합계
책 수(권)	3	4	2	6	□

가장 많이 읽은 책의 종류는 □ 이고, □ 권을 읽었습니다.

풀이 | (합계)=3+4+2+6=15(권)
책 수 3, 4, 2, 6 중 가장 큰 수를 찾으면 6이므로 동시집을 가장 많이 읽었습니다.

확인 3-1

필수 예제 03 의 표를 보고 알 수 있는 내용이면 ○표, 알 수 없는 내용이면 ✕표 하시오.

진혁이가 읽은 책 제목

(   )

확인 3-2

필수 예제 03 의 표를 보고 알 수 있는 내용이면 ○표, 알 수 없는 내용이면 ✕표 하시오.

진혁이가 읽은 책의 종류

(   )

전략 4 그래프의 내용 알아보기 [관련 단원] 표와 그래프

예 비가 가장 많이 온 달을 찾고, 그 달에 비가 온 날수 알아보기

월별 비 온 날수

월 \ 비 온 날수(일)	1	2	3	4	5	6
11	○	○	○	○	○	
10	○	○	○	○	○	○
9	○	○	○			

비가 가장 많이 온 달은 **❶**[　　] 월이고, 비가 **❷**[　　] 일 왔습니다.

답 ❶ 10 ❷ 6

2 주

필수 예제 04

가장 적은 학생들이 좋아하는 간식은 무엇이고, 몇 명이 좋아하는지 쓰시오.

좋아하는 간식별 학생 수

학생 수(명) \ 간식	피자	햄버거	떡볶이	치킨
3			/	/
2	/		/	/
1	/	/	/	/

(　　　　　　　), (　　　　　　　)

풀이 | /의 수가 가장 적은 간식은 햄버거이고, /의 수는 1개입니다.

확인 4-1

필수 예제 04의 그래프를 보고 좋아하는 간식 종류를 알 수 있으면 ○표, 알 수 없으면 ×표 하시오.

(　　　　　　　)

확인 4-2

필수 예제 04의 그래프를 보고 피자를 좋아하는 남학생 수를 알 수 있으면 ○표, 알 수 없으면 ×표 하시오.

(　　　　　　　)

[관련 단원] 길이 재기

1 빈칸에 알맞은 길이를 몇 m 몇 cm로 나타내시오.

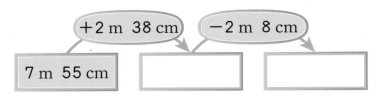

| +2 m 38 cm | −2 m 8 cm |

7 m 55 cm

[관련 단원] 길이 재기

2 **❶**가장 긴 길이와 가장 짧은 길이의 **❷**합을 몇 m 몇 cm로 나타내시오.

| 8 m 25 cm | 830 cm | 8 m 5 cm |

(   )

[관련 단원] 길이 재기

3 길이가 7 m 30 cm인 고무줄이 있습니다. 이 고무줄을 양쪽에서 잡아당겼더니 9 m 87 cm가 되었습니다. 처음보다 고무줄이 몇 m 몇 cm 늘어났습니까?

(   )

[관련 단원] **표와 그래프**

4 민현이네 반의 요일별 지각생 수를 조사하여 표로 나타내었습니다. 금요일에 지각한 학생은 몇 명입니까?

민현이네 반의 요일별 지각생 수

요일	월	화	수	목	금	합계
학생 수(명)	3	2	1	2		10

(   )

[관련 단원] **표와 그래프**

5 다음은 하은이네 모둠 여학생들이 일주일 동안 읽은 책 수를 나타낸 그래프입니다. 그래프를 보고 알 수 <u>없는</u> 내용을 찾아 기호를 쓰시오.

하은이네 모둠 여학생들이 일주일 동안 읽은 책 수

책 수(권) \ 이름	하은	민주	정은	예지	성희
7					○
6				○	○
5				○	○
4	○	○		○	○
3	○	○	○	○	○
2	○	○	○	○	○
1	○	○	○	○	○

⊙ 하은이네 모둠 여학생 수

ⓛ 하은이네 모둠 여학생들이 가장 좋아하는 책 이름

ⓒ 하은이네 모둠 여학생 중 책을 가장 많이 읽은 사람

(   )

하은이네 모둠 여학생 중 책을 가장 적게 읽은 사람은 정은입니다.

대표 예제 01

길이를 읽어 보시오.

(1) ┌──────────┐
    │ 9 m 7 cm │
    └──────────┘

    읽기 _____

(2) ┌────────────┐
    │ 2 m 36 cm │
    └────────────┘

    읽기 _____

개념가이드

m는 ❶☐, cm는 ❷☐ 라고 읽습니다.

[답] ❶ 미터 ❷ 센티미터

대표 예제 02

책상의 길이를 2가지로 나타내시오.

① ☐ cm ② ☐ m ☐ cm

개념가이드

책상의 길이는 1m보다 ❶☐ 니다.

줄자에서 158의 단위는 m와 cm 중 ❷☐ 로 생각합니다.

[답] ❶ 깁 ❷ cm

대표 예제 03

철호는 자기 몸을 이용하여 거실 매트의 길이를 재려고 합니다. 다음 방법으로 잴 때 재는 횟수가 더 많은 것을 찾아 기호를 쓰시오.

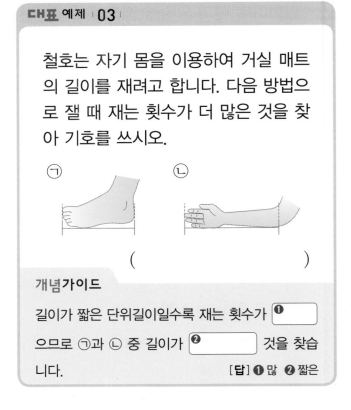

ㄱ   ㄴ

(   )

개념가이드

길이가 짧은 단위길이일수록 재는 횟수가 ❶☐ 으므로 ㄱ과 ㄴ 중 길이가 ❷☐ 것을 찾습니다.

[답] ❶ 많 ❷ 짧은

대표 예제 04

주어진 1 m로 끈의 길이를 어림하였습니다. 어림한 끈의 길이는 약 몇 m 입니까?

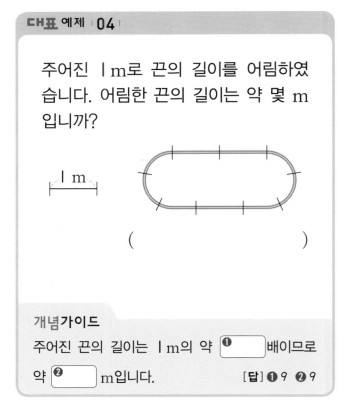

(   )

개념가이드

주어진 끈의 길이는 1 m의 약 ❶☐ 배이므로 약 ❷☐ m입니다.

[답] ❶ 9 ❷ 9

잘할 수 있어.

대표 예제 | 05 |

알맞은 길이를 골라 문장을 완성하시오.

| 3 m | 10 m | 80 m |

(1) 칠판 긴 쪽의 길이는 약 [   ] 입니다.

(2) 학교 운동장 긴 쪽의 길이는 약 [   ] 입니다.

개념가이드

1 m는 양팔을 벌린 ❶[   ] 정도 됩니다.

[답] ❶ 길이

대표 예제 | 06 |

길이가 가장 긴 것에 ○표 하시오.

503 cm	( )
3 m 50 cm	( )
5 m 30 cm	( )

개념가이드

100 cm는 1 m이므로
503 cm는 ❶[   ] m ❷[   ] cm입니다.

[답] ❶ 5 ❷ 3

대표 예제 | 07 |

형석이의 키는 1 m 20 cm이고 성아의 키는 1 m 32 cm입니다. 두 사람의 키는 얼마나 차이가 나는지 식을 쓰고 답을 구하시오.

식 _____

　　　　답 _____

개념가이드

형석이의 키와 성아의 키 중 긴 길이에서 ❶[   ]은 길이를 빼서 두 사람의 ❷[   ]의 차이를 알아봅니다.

[답] ❶ 짧 ❷ 키

대표 예제 | 08 |

아영이네 집에서 학교를 거쳐 선영이네 집까지 가는 거리는 몇 m 몇 cm입니까?

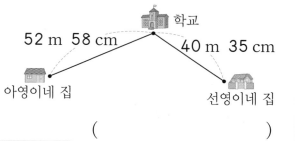

(   )

개념가이드

(아영이네 집~❶[   ]의 거리)+(학교~❷[   ]이네 집의 거리)를 계산합니다.

[답] ❶ 학교 ❷ 선영

2 주

대표 예제 09

치킨을 좋아하는 학생을 모두 찾아 이름을 쓰시오.

정아네 반 학생들이 좋아하는 간식

정아	혜민	정희	정훈	민정
정민	성주	찬혁	현민	호영

(   )

개념가이드

❶ ⬚ 그림을 찾아 ❷ ⬚ 을 씁니다.

[답] ❶ 치킨 ❷ 이름

대표 예제 10

09를 보고 표로 나타내시오.

정아네 반 학생들이 좋아하는 간식별 학생 수

간식	햄버거	치킨	피자	합계
학생 수(명)				

개념가이드

합계는 햄버거, 치킨, ❶ ⬚ 를 좋아하는

❷ ⬚ 수를 더해서 계산합니다.

[답] ❶ 피자 ❷ 학생

대표 예제 11

10의 표를 보고 그래프로 나타내시오.

정아네 반 학생들이 좋아하는 간식별 학생 수

학생 수 (명)	햄버거	치킨	피자
4			
3			
2			
1	○		

개념가이드

좋아하는 ❶ ⬚ 별로 ❷ ⬚ 수만큼 아래에서 위로 ○를 그립니다.

[답] ❶ 간식 ❷ 학생

대표 예제 12

10의 표를 다음 그래프로 완성할 수 없는 이유를 쓰시오.

정아네 반 학생들이 좋아하는 간식별 학생 수

간식 \ 학생 수(명)	1	2	3
피자			
치킨			
햄버거	○		

개념가이드

❶ ⬚ 수를 모두 나타낼 수 있는지 살펴봅니다.

[답] ❶ 학생

넌 최고로 잘하고 있어.

대표 예제 | 13 |

동진이가 일주일 동안 한 집안일의 종류는 몇 가지입니까?

동진이가 일주일 동안 집안일을 한 횟수

집안일	빨래 개기	신발 정리	분리 수거	식탁 닦기	합계
횟수 (번)	5	3	4	2	14

(   )

개념가이드

동진이가 한 집안일의 종류는 빨래 개기, 신발 정리, ❶[   ]수거, ❷[   ] 닦기입니다.

[답] ❶ 분리 ❷ 식탁

대표 예제 | 14 |

13의 표를 보고 알 수 있는 내용을 완성하시오.

① 동진이가 일주일 동안 집안일을 한 횟수는 모두 _____

② 동진이가 일주일 동안 빨래를 갠 횟수는 _____

개념가이드

동진이가 ❶[   ]주일 동안 집안일을 한 횟수는 ❷[   ]를 보면 알 수 있습니다.

[답] ❶ 일 ❷ 합계

대표 예제 | 15 |

구름 마을보다 많은 학생들이 사는 마을을 찾아 마을 이름을 쓰시오.

사는 마을별 학생 수

학생 수 (명) \ 마을	햇살	구름	달빛	별빛
3	○			
2	○	○		○
1	○	○	○	○

(   )

개념가이드

구름 마을에 사는 학생 수는 ❶[   ]명입니다.

[답] ❶ 2

대표 예제 | 16 |

15의 그래프를 보고 알 수 있는 내용을 완성하시오.

① 가장 많은 학생들이 사는 마을은 _____

② 가장 적은 학생들이 사는 마을은 _____

개념가이드

○의 개수가 가장 많은 마을은 가장 ❶[   ] 학생들이 사는 마을이고, ○의 개수가 가장 적은 마을은 가장 ❷[   ] 학생들이 사는 마을입니다.

[답] ❶ 많은 ❷ 적은

2 주

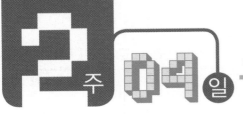

1 두 사람은 책상의 길이를 1 m 35 cm 로 재었습니다. 길이를 잘못 잰 이유를 쓰시오.

Tip
물건의 한끝을 줄자의 눈금 [❶___]에 맞추어 [❷___]를 재어야 합니다.

답 ❶ 0 ❷ 길이

2 두 사람이 각자 어림하여 4 m 20 cm 가 되도록 끈을 잘랐습니다. 자른 끈의 길이가 4 m 20 cm에 더 가까운 친구 의 이름을 쓰시오.

이름	준상	미리
끈의 길이	4 m 40 cm	4 m 5 cm

(   )

Tip
4 m [❶___] cm와 자른 끈의 [❷___]의 차가 더 작은 친구를 찾습니다.

답 ❶ 20 ❷ 길이

3 수 카드 3장을 한 번씩 사용하여 가장 긴 길이를 만들고, 그 길이와 2 m 38 cm의 합을 구하시오.

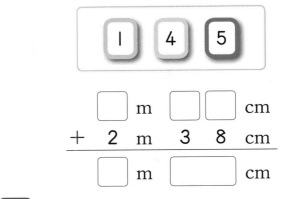

	m			cm
+ 2	m	3	8	cm
	m			cm

Tip
가장 긴 길이를 만들려면 m 단위부터 가장 큰 숫자를 넣어야 하므로 가장 긴 길이는 [❶___] m [❷___] cm 입니다.

답 ❶ 5 ❷ 41

4 지아의 두 걸음이 1 m라면 책장의 길 이는 약 몇 m입니까?

책장의 길이를 내 걸음으로 재었더니 약 6걸음이네.

지아

1 m

(   )

Tip
지아의 두 걸음은 [❶___] m이고 책장의 길이는 지 아의 두 걸음의 길이의 약 [❷___]배입니다.

답 ❶ 1 ❷ 3

[5~7] 어느 해 Ⅰ월의 날씨를 조사한 것입니다. 물음에 답하시오.

☀ : 맑음 ☁ : 흐림 ☂ : 비 ⛄ : 눈

5 자료를 보고 표를 완성하시오.

Ⅰ월의 날씨별 날수

날씨	맑음	흐림	비	눈	합계
날수(일)					

Tip

☀ 그림은 [❶   ]개이므로 맑음에 [❷   ]를 씁니다.

답 ❶ 9 ❷ 9

6 25일의 날씨에 ○표 하시오.

Tip

날짜별 [❶   ]를 알 수 있는 것은 자료, 표, 그래프 중에서 [❷   ]입니다. 답 ❶ 날씨 ❷ 자료

7 5의 표를 보고 그래프로 나타내시오.

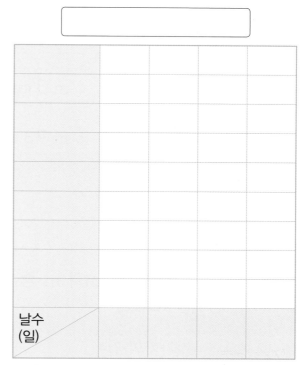

Tip

세로에 [❶   ]수를, 가로에 [❷   ]를 나타냅니다. 답 ❶ 날 ❷ 날씨

8 피아노를 배우고 싶은 학생은 오카리나를 배우고 싶은 학생보다 **3**명 더 많습니다. 다음 표를 완성하시오.

배우고 싶은 악기별 학생 수

악기	피아노	우쿨렐레	오카리나	리코더	합계
학생 수(명)		4	3		18

Tip

(피아노)=(오카리나)+[❶   ]

(리코더)=18−(피아노)−4−[❷   ] 답 ❶ 3 ❷ 3

누구나 **만점 전략**

맞은 개수

개

01 관계있는 것끼리 선으로 이으시오.

693 cm · · 6 m 39 cm

639 cm · · 6 m 3 cm

603 cm · · 6 m 93 cm

02 길이를 나타낼 때 cm와 m 중 알맞은 단위를 쓰시오.

(1) 젓가락의 길이

( )

(2) 비행기의 길이

( )

03 두 길이의 합은 몇 m 몇 cm입니까?

5 m 28 cm   4 m 64 cm

( )

04 민준이의 줄넘기는 아버지의 줄넘기보다 몇 m 몇 cm 짧습니까?

민준이의 줄넘기

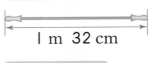

1 m 32 cm

아버지의 줄넘기

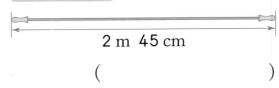

2 m 45 cm

( )

05 길이가 5 m보다 긴 것을 모두 찾아 기호를 쓰시오.

㉠ 기차의 길이
㉡ 자전거의 길이
㉢ 5층 건물의 높이
㉣ 우산의 길이

( )

[06~08] 수현이네 반 학생들이 좋아하는 책의 종류를 조사한 자료입니다. 물음에 답하시오.

수현이네 반 학생들이 좋아하는 책의 종류

이름	책의 종류	이름	책의 종류
수현	만화책	호연	만화책
하연	동화책	재아	위인전
지영	만화책	성진	동화책
수진	위인전	지혜	과학책
호영	동화책	민희	과학책
재호	과학책	대연	만화책

06 재아가 좋아하는 책의 종류는 무엇입니까?

(   )

07 조사한 자료를 보고 표를 완성하시오.

좋아하는 책의 종류별 학생 수

책의 종류	만화책	동화책	위인전	과학책	합계
학생 수 (명)	丗	丗	丗	丗	

08 수현이네 반 학생들이 가장 좋아하는 책의 종류는 무엇입니까?

(   )

[09~10] 여러 조각으로 모양을 만들었습니다. 물음에 답하시오.

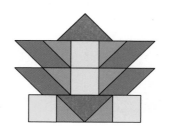

09 사용한 조각의 수를 표로 나타내시오.

사용한 조각 수

조각	◢	▢	▰	▲	합계
조각 수 (개)					

10 표를 보고 ○를 이용하여 그래프로 나타내시오.

사용한 조각 수

6				
5				
4				
3				
2				
1				
조각 수 (개) / 조각	◢	▢	▰	▲

2주 창의·융합·코딩 전략 ❶

창의 융합

1 105 cm를 몇 m 몇 cm로 쓰고, 쓴 길이를 읽으시오.

쓰기 ☐ m ☐ cm   읽기 _____

우리 반 친구들이 좋아하는 운동

가람	축구	현성	야구	민아	야구	승주	농구
태현	축구	연아	축구	하은	수영	하연	농구
종우	야구	성아	농구	예지	축구	우리	수영
민국	수영	하람	축구	효주	축구	현아	야구
승현	축구	주혁	야구	다은	농구	연우	수영

우리 반 친구들이 좋아하는 운동을 적어 봤어.

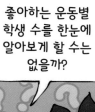

좋아하는 운동별 학생 수를 한눈에 알아보게 할 수는 없을까?

좋아하는 운동별 학생 수

운동	축구	야구	농구	수영	합계
학생 수 (명)	7	5	4	4	20

이렇게 표로 나타내면 전체 학생 수를 쉽게 알 수 있어!

친구들이 가장 좋아하는 운동은?

내게 묻지마!

홈런을 칠테니 공을 던져봐!

알았어!

휙

빵그랑!

누구야?!!

윽~

문제 해결

2 우리 반 친구들이 가장 좋아하는 운동은 무엇입니까?

( )

창의 융합

1 몸의 일부를 이용하여 책상의 길이를 재려고 합니다. 양팔을 벌린 길이는 약 1 m이고, 한 뼘의 길이는 약 15 cm입니다. 책상의 길이는 약 몇 m 몇 cm입니까?

(   )

Tip
양팔을 ❶[   ]번 벌린 길이와 뼘의 길이를 ❷[   ]번 더한 길이의 합을 계산합니다.

[답] ❶ 1 ❷ 3

창의 융합

2 민주가 의자 위에 올라가 키를 재어 보았더니 1 m 92 cm였습니다. 의자의 높이가 57 cm라면 민주의 키는 몇 m 몇 cm인지 구하시오.

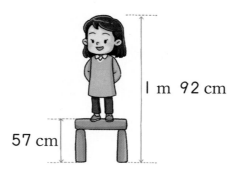

1 m 92 cm

57 cm

(   )

Tip
민주의 키는 ❶[   ] 위에 올라가 잰 키에서 ❷[   ]의 높이를 빼면 됩니다.

[답] ❶ 의자 ❷ 의자

코딩

3 자동차가 주어진 명령에 따라 길을 가려고 합니다. ●는 자동차의 위치를 나타냅니다. 자동차가 이동한 거리는 몇 m 몇 cm인지 구하시오.

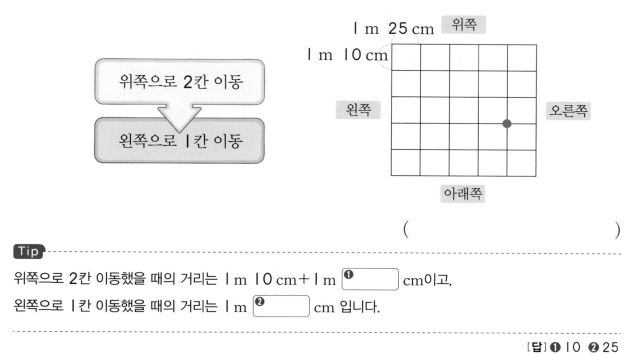

(   )

Tip

위쪽으로 2칸 이동했을 때의 거리는 1 m 10 cm + 1 m ❶[   ] cm이고,

왼쪽으로 1칸 이동했을 때의 거리는 1 m ❷[   ] cm 입니다.

[답] ❶ 10 ❷ 25

창의 융합

4 성재네 집에서 굵은 선을 따라 도서관까지 갔을 때의 거리는 몇 m 몇 cm입니까?

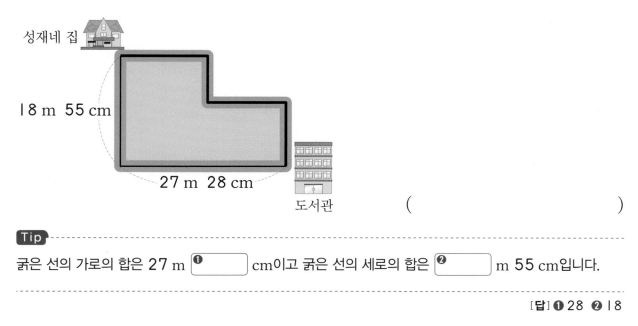

(   )

Tip

굵은 선의 가로의 합은 27 m ❶[   ] cm이고 굵은 선의 세로의 합은 ❷[   ] m 55 cm입니다.

[답] ❶ 28 ❷ 18

문제 해결

5 세호가 회전판을 돌렸을 때 화살표가 가리키는 색깔을 조사하여 나타낸 표입니다. 그래프로 나타내고 알맞은 말에 ○표 하시오.

색깔별 가리킨 횟수

색깔	보라	초록	빨강	합계
횟수(번)	6	4	1	11

회전판에서 넓게 색칠된 색깔일수록 가리킨 횟수가 (많습니다 , 적습니다).

색깔별 가리킨 횟수

6			
5			
4			
3			
2			
1	○		
횟수(번) \ 색깔	보라	초록	빨강

Tip

표를 보고 색깔에 맞춰 ❶ [　　　]만큼 그래프에 ❷ [　　　]를 그립니다.

[답] ❶ 횟수 ❷ ○

추론

6 표와 그래프를 보고 얼룩진 부분을 알맞게 채워 표와 그래프를 완성하시오.

먹고 싶은 음식별 학생 수

음식	학생 수(명)
김밥 ←	4
만두 ←	3
떡볶이 ←	5
라면 ←	
합계	

먹고 싶은 음식별 학생 수

5				○
4	○			○
3	○	○		○
2	○	○		○
1	○	○		○
학생 수(명) \ 음식	김밥	만두	떡볶이	라면

Tip

표에서 떡볶이를 먹고 싶은 학생은 ❶ [　　　]명입니다.

그래프에서 라면을 먹고 싶은 학생은 ❷ [　　　]명입니다

[답] ❶ 5 ❷ 5

7 3명의 학생들이 고리 던지기를 하였습니다. 성공한 것은 ○표, 실패한 것은 ×표를 하였을 때, 고리 던지기에 성공한 횟수를 표로 나타내시오.

고리 던지기 결과

이름＼순서	1회	2회	3회	4회	5회
정현	×	×	○	×	×
지현	○	○	×	○	○
우진	×	○	×	×	○

학생별 성공한 횟수

이름	정현	지현	우진	합계
성공한 횟수(번)				

Tip

정현이는 고리 던지기를 [❶　　] 회에만 성공했으므로 성공한 횟수는 [❷　　] 번입니다.

[답] ❶ 3 ❷ 1

8 호진이가 과녁에 맞힌 화살을 표시한 것입니다. 얻은 점수는 몇 점입니까?

점수별 맞힌 화살 수

점수	5점	3점	1점	합계
맞힌 화살 수(개)	1	4	3	8

(　　　　　　　　　)

Tip

3점에 맞힌 화살 수는 [❶　　] 개이므로 3×4＝[❷　　] (점)을 나타냅니다.

[답] ❶ 4 ❷ 12

시각과 시간, 규칙 찾기

❶ 몇 시 몇 분
❷ 1시간 알아보기
❸ 하루의 시간, 1년의 달력 읽기
❹ 표를 보고 규칙 찾기
❺ 무늬에서 규칙 찾기
❻ 쌓은 모양에서 규칙 찾기

곱셈표에서 규칙을 찾는 퀴즈야.

×	1	3	5	7
1	1	3	5	7
3	3	9	15	21
5	5	15	25	35
7	7	21	35	49

개념 1   몇 시 몇 분

[관련 단원] 시각과 시간

● 시계의 긴바늘이 가리키는 숫자가
   1이면 5분, 2이면 10분, 3이면 15분
   ……을 나타냅니다.

   ➡ 시계가 나타내는 시각은 5시 10분
      입니다.

● 시계에서 긴바늘이 가리키는 작은 눈금 한 칸은 1분을 나타
   냅니다.

긴바늘이 2에서 작은 눈금
❶ 칸을 더 간 곳을 가리키므

로 5시 **❷** 분입니다.

답 ❶ 2 ❷ 12

개념 2   1시간 알아보기

[관련 단원] 시각과 시간

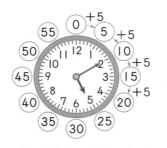

3시 10분 20분 30분 40분 50분 4시

시계의 긴바늘이 한 바퀴 도는 데 60분이 걸립니다.

$$60분 = 1시간$$

시계의 긴바늘이 한 바퀴 돌아
❶ 시간이 지났습니다.

1시간은 **❷** 분과 같습
니다.

답 ❶ 1 ❷ 60

개념 3   하루의 시간, 1년의 달력 읽기

[관련 단원] 시각과 시간

● 하루는 24시간입니다.

$$1일 = 24시간$$

　┌오전: 전날 밤 12시~낮 12시
　└오후: 낮 12시~밤 12시

● 달력 알아보기

　① 같은 요일은 7일마다 반복됩니다.
　② 1년은 1월부터 12월까지 있습니다.

$$1주일 = 7일$$ $$1년 = 12개월$$

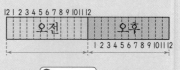

하루는 **❶** 시간입니다.

1주일은 **❷** 일입니다.

답 ❶ 24 ❷ 7

1-1 시계에서 각각의 숫자가 몇 분을 나타내는지 빈 곳에 써넣으시오.

• 풀이 • 시계의 **❶**[ ] 바늘이 가리키는 수가 Ⅰ씩 커지면

❷[ ] 분씩 늘어납니다.　　답 **❶** 긴 **❷** 5

1-2 시계에서 각각의 숫자가 몇 분을 나타내는지 빈 곳에 써넣으시오.

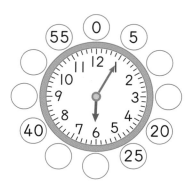

2-1 ☐ 안에 알맞은 수를 써넣으시오.

(1) 60분=[ ]시간

(2) Ⅰ시간 Ⅰ5분=[ ]분

• 풀이 • (2) Ⅰ시간 Ⅰ5분=**❶**[ ]분+Ⅰ5분=**❷**[ ]분

答 **❶** 60 **❷** 75

2-2 ☐ 안에 알맞은 수를 써넣으시오.

(1) Ⅰ00분=[ ]시간 [ ]분

(2) 2시간=[ ]분

3-1 ⅠⅠ월에 수요일은 몇 번 있는지 쓰시오.

ⅠⅠ월						
일	월	화	수	목	금	토
			Ⅰ	2	3	4	5
6	7	8	9	Ⅰ0	ⅠⅠ	Ⅰ2
Ⅰ3	Ⅰ4	Ⅰ5	Ⅰ6	Ⅰ7	Ⅰ8	Ⅰ9
20	2Ⅰ	22	23	24	25	26
27	28	29	30			

( )

• 풀이 • 이 달에 수요일은 ⅠⅠ월 2일, 9일, Ⅰ6일, **❶**[ ]일,

❷[ ]일입니다.　　答 **❶** 23 **❷** 30

3-2 ⅠⅠ월 3일에서 Ⅰ주일 후는 몇 월 며칠입니까?

ⅠⅠ월						
일	월	화	수	목	금	토
			Ⅰ	2	3	4	5
6	7	8	9	Ⅰ0	ⅠⅠ	Ⅰ2
Ⅰ3	Ⅰ4	Ⅰ5	Ⅰ6	Ⅰ7	Ⅰ8	Ⅰ9
20	2Ⅰ	22	23	24	25	26
27	28	29	30			

( )

개념 4 표를 보고 규칙 찾기

[관련 단원] 규칙 찾기

● 덧셈표에서 규칙 찾기

+	1	2	3	4
1	2	3	4	5
2	3	4	5	6
3	4	5	6	7
4	5	6	7	8

① 　　　으로 칠해진 수는 아래쪽으로 내려갈수록 1씩 커집니다.

② 　　　으로 칠해진 수는 오른쪽으로 갈수록 1씩 커집니다.

×	1	2	3
1	1	2	3
2	2	4	6
3	3	6	9

색칠된 수는 아래쪽으로 갈수록

❶ 　　 씩 ❷ 　　 집니다.

답 ❶ 3 ❷ 커

개념 5 무늬에서 규칙 찾기

[관련 단원] 규칙 찾기

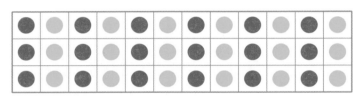

규칙 ① 빨간색, 노란색이 반복됩니다.

② ↓ 방향은 같은 색깔입니다.

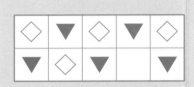

◇, ❶ 　　 가 반복됩니다.

빈칸에 알맞은 모양은 ❷ 　　 모양입니다.

답 ❶ ▼ ❷ ◇

개념 6 쌓은 모양에서 규칙 찾기

[관련 단원] 규칙 찾기

● 쌓여 있는 모양에서 규칙 찾기

➡ 쌓기나무는 2층, 1층이 반복됩니다.

● 다음에 이어질 모양 찾기

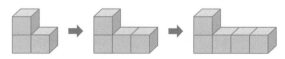

쌓기나무가 오른쪽으로 1개씩 늘어납니다.
다음에 이어질 모양은 쌓기나무 6개로 쌓은 모양입니다.

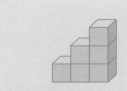

쌓기나무가 오른쪽으로

❶ 　　 층씩 ❷ 　　 납니다.

답 ❶ 1 ❷ 늘어

4-1 색칠한 수를 보고 규칙을 완성하시오.

+	1	2	3	4
1	2	3	4	5
2	3	4	5	6
3	4	5	6	7
4	5	6	7	8

오른쪽으로 갈수록 ☐씩 커집니다.

• 풀이 • **①**☐ 부터 시작하여 **②**☐씩 커집니다.

답 **①** 3 **②** 1

4-2 색칠한 수를 보고 규칙을 완성하시오.

+	1	2	3	4
1	1	2	3	4
2	2	4	6	8
3	3	6	9	12
4	4	8	12	16

아래쪽으로 내려갈수록 ☐씩 커집니다.

5-1 규칙을 찾아 빈칸에 알맞은 모양을 그리고 색칠하시오.

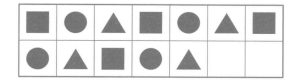

• 풀이 • ■. **①**☐. **②**☐이 반복됩니다.

답 **①** ● **②** ▲

5-2 규칙을 찾아 빈칸에 알맞은 모양을 그리고 색칠하시오.

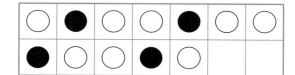

6-1 규칙을 찾아 알맞은 말에 ◯표 하시오.

쌓기나무가 오른쪽에 (1 , 2)개씩 (늘어나는 , 줄어드는) 규칙입니다.

• 풀이 • 쌓기나무를 오른쪽에 **①**☐개씩 더 놓아 쌓기나무의 수가 **②**☐씩 커집니다.

답 **①** 1 **②** 1

6-2 규칙을 찾아 알맞은 말에 ◯표 하시오.

쌓기나무가 위쪽에 (1 , 2)개씩 (늘어나는 , 줄어드는) 규칙입니다.

예제 1 시계가 나타내는 시각 읽기

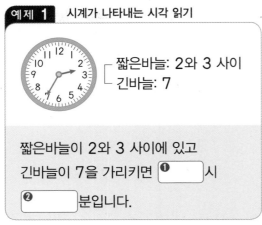

짧은바늘: 2와 3 사이
긴바늘: 7

짧은바늘이 2와 3 사이에 있고
긴바늘이 7을 가리키면 **❶**[ ]시
❷[ ]분입니다.

[답] ❶2 ❷35

예제 2 시간 띠를 색칠하여 걸린 시간 구하기

2시 10분 20분 30분 40분 50분 3시

〈2시 20분부터 2시 50분까지 걸린 시간〉

시간 띠의 1칸은 **❶**[ ]분입니다.
따라서 2시 20분부터 2시 50분까지
걸린 시간은 **❷**[ ]분입니다.

[답] ❶10 ❷30

예제 3 1년의 달력 알아보기

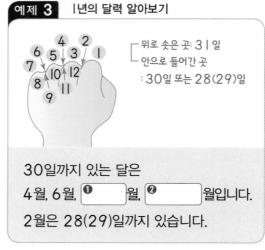

위로 솟은 곳: 31일
안으로 들어간 곳
: 30일 또는 28(29)일

30일까지 있는 달은
4월, 6월, **❶**[ ]월, **❷**[ ]월입니다.
2월은 28(29)일까지 있습니다.

[답] ❶9 ❷11

1 시계를 보고 [ ] 안에 알맞은 수를 써넣으시오.

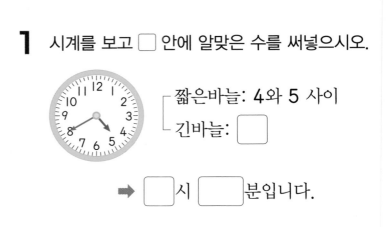

짧은바늘: 4와 5 사이
긴바늘: [ ]

➡ [ ]시 [ ]분입니다.

2 두 시계를 보고 시간이 얼마나 흘렀는지 시간
띠에 나타내어 보시오.

7시 10분 20분 30분 40분 50분 8시

3 [ ] 안에 알맞은 수를 써넣으시오.

1년은 [ ]개월입니다.

5월의 마지막 날은 [ ]일입니다.

날수가 가장 적은 달은 [ ]월입니다.

예제 4　수들의 규칙 찾기

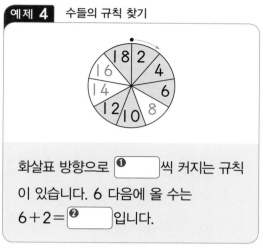

화살표 방향으로 ❶[　　　]씩 커지는 규칙
이 있습니다. 6 다음에 올 수는
6+2=❷[　　　] 입니다.

[답] ❶ 2　❷ 8

4 규칙을 찾아 빈 곳에 알맞은 수를 써넣으시오.

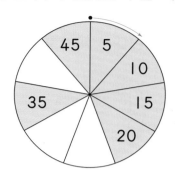

예제 5　규칙에 따라 숫자로 바꾸어 나타내기

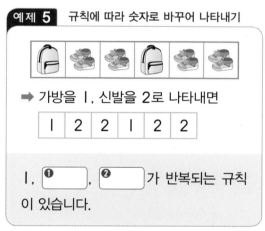

➡ 가방을 1, 신발을 2로 나타내면

1	2	2	1	2	2

1, ❶[　　　], ❷[　　　] 가 반복되는 규칙
이 있습니다.

[답] ❶ 2　❷ 2

5 규칙에 따라 을 1, 🧁을 2, 🍩을 3으로
바꾸어 나타내시오.

➡

예제 6　규칙에 따라 쌓은 모양 알아보기

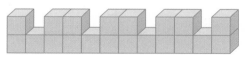

➡ 1층으로 쌓았습니다.
　같은 모양이 반복됩니다.

쌓기나무를 3개, ❶[　　　]개, ❷[　　　]개
가 반복되는 규칙이 있습니다.

[답] ❶ 2　❷ 2

6 규칙에 따라 쌓기나무를 쌓았습니다. ☐ 안에
알맞은 수를 써넣으시오.

규칙 쌓기나무는 2층, ☐층, ☐층이 반복
됩니다.

전략 1 | 분 단위의 시각 읽기

[관련 단원] 시각과 시간

예 시계가 나타내는 시각 읽기

┌ 짧은바늘: 1과 2 사이
└ 긴바늘: 6에서 작은 눈금 ❶ [ ] 칸을 더 간 곳

➡ 시계가 나타내는 시각은 1시 ❷ [ ] 분입니다.

답 ❶ 2 ❷ 32

필수 예제 | 01 |

시계가 나타내는 시각을 쓰시오.

[ ]시 [ ]분

지금은 몇 시일까요?

풀이 | 시계의 짧은바늘은 6과 7 사이, 긴바늘은 3에서 작은 눈금 2칸을 더 간 곳을 가리킵니다.
시계가 나타내는 시각은 6시 17분입니다.

확인 1-1

시계가 나타내는 시각을 쓰시오.

[ ]시 [ ]분

확인 1-2

시계가 나타내는 시각을 쓰시오.

[ ]시 [ ]분

전략 **2** 시각에 맞게 시계에 나타내기

[관련 단원] 시각과 시간

예 4시 45분을 시계에 나타내기

(1) 4시이므로 짧은바늘이 [❶   ]와 5 사이를 가리키도록 그립니다.

(2) 45분이므로 긴바늘이 [❷   ]를 가리키도록 그립니다.

(3) 시계가 나타내는 시각은 4시 45분입니다.

답 ❶ 4 ❷ 9

필수 예제 02

시각에 맞게 시계에 나타내시오.

8시 15분

긴바늘은 짧은바늘보다 길게 그려요.

풀이 | 시각은 8시 15분이므로 짧은바늘이 8과 9 사이, 긴바늘이 3을 가리키도록 그립니다.

확인 2-1

시각에 맞게 시계에 나타내시오.

9시 19분

확인 2-2

시각에 맞게 시계에 나타내시오.

3시 32분

전략 **3**   덧셈표, 곱셈표 완성하기
[관련 단원] 규칙 찾기

예 덧셈표 완성하기

+	2	4	6	8
2	4	6	㉠	10
4	6	8	10	㉡
㉢	8	10	12	14
8	10	12	14	16

(1) 2+6=8이므로 ㉠=8입니다.

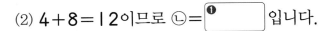

(2) 4+8=12이므로 ㉡=❶⬚ 입니다.

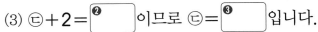

(3) ㉢+2=❷⬚ 이므로 ㉢=❸⬚ 입니다.

두 수의 합을 이용해요.

답 ❶12 ❷8 ❸6

필수 예제 | 03 |

곱셈표를 완성해 보시오.

×	2	3	4	5
2	4		8	10
3	6	9		15
4	8	12	16	20
5	10	15	20	

두 수의 곱을 이용해요.

풀이 | (위부터) 빈칸에 들어갈 수는 2×3=6이므로 6, 3×4=12이므로 12, 5×5=25이므로 25입니다.

확인 **3**-1

덧셈표를 완성해 보시오.

+	3	5	7	9
3	6		10	12
5	8	10	12	14
7	10	12	14	
9	12		16	18

확인 **3**-2

곱셈표를 완성해 보시오.

×	3	4		6
3	9	12	15	18
4	12		20	24
5	15	20	25	30
6		24	30	36

전략 **4** 색깔과 모양이 모두 변하는 규칙

[관련 단원] 규칙 찾기

예 규칙을 찾아 빈칸에 알맞은 모양 찾기

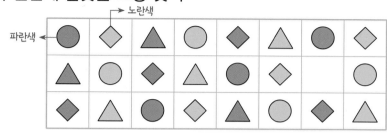

모양 ◯, ◇, △이 반복됩니다.

색깔 파란색, [❶] 색이 반복됩니다.

➡ 규칙에 따라 빈칸에 파란색 [❷] 모양이 들어가야 합니다.

답 ❶ 노란 ❷ △

필수 예제 **04**

규칙을 찾아 빈칸에 알맞은 모양을 그리고 색칠하시오.

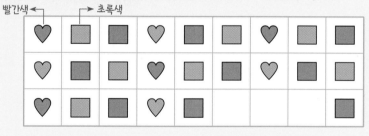

모양과 색깔의 규칙을 생각해 봐요.

풀이 | ♡, □, □이 반복되고 빨간색, 초록색이 반복됩니다.

확인 **4**-1

규칙을 찾아 빈칸에 알맞은 모양을 그리고 색 칠하시오.

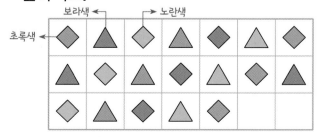

확인 **4**-2

규칙을 찾아 빈칸에 알맞은 모양을 그리고 색 칠하시오.

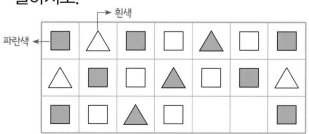

[관련 단원] **시각과 시간**

1 거울에 비친 시계를 보았습니다. 이 시계가 나타내는 시각은 몇 시 몇 분입니까?

(   )

> **Tip**
> • 시계의 짧은바늘은 **❶**   과 11 사이를 가리킵니다.
> • 시계의 긴바늘은 **❷**   를 가리킵니다.
>
> 답   **❶** 10   **❷** 4

[관련 단원] **시각과 시간**

2 같은 시각을 나타내는 것끼리 이어 보시오.

[05:37] ·

[07:27] ·

> **Tip**
> • 시계의 긴바늘이 5에서 작은 눈금 2칸 더 간 곳을 가리키면 **❶**   분입니다.
> • 시계의 긴바늘이 7에서 작은 눈금 2칸 더 간 곳을 가리키면 **❷**   분입니다.
>
> 답   **❶** 27   **❷** 37

[관련 단원] **시각과 시간**

3 보기 에서 알맞은 말을 골라 (   ) 안에 알맞게 써넣으시오.

> 보기
> **❶** 오전   **❷** 오후

(1) 아침 8시   (   )

(2) 저녁 6시   (   )

(3) 낮 3시   (   )

> **Tip**
> **❶** 전날 밤 12시부터 낮 12시까지를 **❶**   이라고 합니다.
> **❷** 낮 12시부터 밤 12시까지를 **❷**   라고 합니다.
>
> 답   **❶** 오전   **❷** 오후

[관련 단원] **규칙 찾기**

4 덧셈표에서 규칙을 찾아 빈칸에 알맞은 수를 써넣으시오.

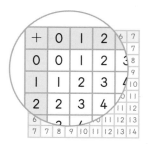

3	4	5	6
4	5		7
		7	
			8

[관련 단원] **규칙 찾기**

5 지효가 규칙적으로 구슬을 꿰어 팔찌를 만들려고 합니다. 규칙에 맞게 색칠하시오.

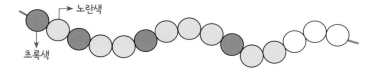

→ 노란색

초록색

3주

[관련 단원] **규칙 찾기**

6 규칙에 따라 쌓기나무를 쌓았습니다. ☐ 안에 들어갈 세 수의 ❷합을 구하시오.

> **규칙** 쌓기나무는 ☐층, ☐층, ☐층이 반복 됩니다.

❶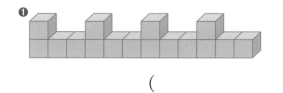

(　　　　　　　　　)

전략 1   시각을 여러 가지 방법으로 읽기

[관련 단원] 시각과 시간

예 4시 50분을 두 가지 방법으로 읽기

10분이 지나면 5시에요.

5시가 되려면 ❶ [　　] 분이 더 지나야 합니다.

이 시각은 5시 ❷ [　　] 분 전입니다.

➡ 4시 50분을 5시 10분 전이라고도 합니다.

답 ❶ 10 ❷ 10

필수예제 |01|

시계가 나타내는 시각을 쓰시오.

[　] 시 [　] 분

9시 [　] 분 전

9시가 되려면 몇 분이 더 지나야 할까요?

풀이 | 시계가 나타내는 시각은 8시 54분입니다.
9시가 되려면 6분이 더 지나야 합니다. 이 시각은 9시 6분 전입니다.

확인 1-1

시계가 나타내는 시각을 쓰시오.

[　] 시 [　] 분

4시 [　] 분 전

확인 1-2

시계가 나타내는 시각을 쓰시오.

[　] 시 [　] 분

6시 [　] 분 전

전략 2 걸린 시간 구하기 [관련 단원] 시각과 시간

예 두 시계를 보고 시간이 얼마나 지났는지 구하기

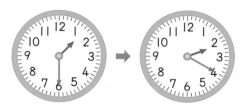

1시 10분 20분 30분 40분 50분 2시 10분 20분 30분 40분 50분 3시

(1) 1시 30분부터 2시 **❶**[   ]분까지 시간 띠를 색칠합니다.

(2) 시간 띠의 1칸은 10분을 나타내므로 **❷**[   ]분이 지났습니다.

답 ❶ 20 ❷ 50

필수 예제 02

두 시계를 보고 시간이 얼마나 지났는지 시간 띠에 나타내어 구하시오.

3시 10분 20분 30분 40분 50분 4시 10분 20분 30분 40분 50분 5시

(   )

풀이 | 3시 10분부터 4시 20분까지 시간 띠 7칸입니다. ➡ 70분은 1시간 10분과 같습니다.

확인 2-1

두 시계를 보고 시간이 얼마나 지났는지 시간 띠에 나타내어 구하시오.

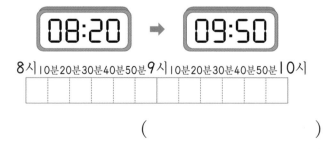

8시 10분 20분 30분 40분 50분 9시 10분 20분 30분 40분 50분 10시

(   )

확인 2-2

두 시계를 보고 시간이 얼마나 지났는지 시간 띠에 나타내어 구하시오.

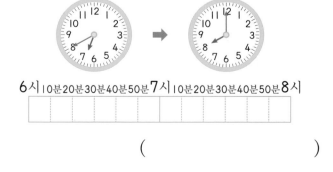

6시 10분 20분 30분 40분 50분 7시 10분 20분 30분 40분 50분 8시

(   )

전략 3 색칠한 위치에 관한 규칙 찾기

[관련 단원] 규칙 찾기

예 규칙을 찾아 빈 곳에 알맞게 색칠하기

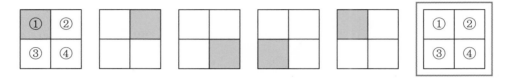

(1) 색칠한 곳이 ① → ② → ④ → ③ → [❶]으로 옮겨집니다.

➡ 색칠한 곳이 시계 방향으로 옮겨지는 규칙입니다.

(2) 다음에 색칠해야 할 곳은 [❷]입니다.

답 ❶① ❷②

필수 예제 03

규칙을 찾아 빈 곳에 알맞게 색칠하시오.

풀이 | 색칠한 곳이 바깥쪽 → 안쪽 → 바깥쪽 → 안쪽 → 바깥쪽입니다.
색칠한 곳이 바깥쪽, 안쪽으로 반복되는 규칙입니다. 다음에 색칠해야 할 곳은 안쪽입니다.

확인 3-1

규칙을 찾아 빈 곳에 알맞게 색칠하시오.

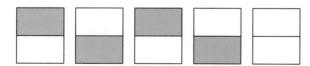

확인 3-2

규칙을 찾아 빈 곳에 알맞게 색칠하시오.

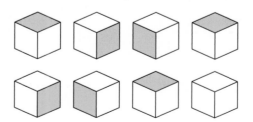

전략 4 쌓기나무로 쌓은 모양에서 규칙 찾기

[관련 단원] 규칙 찾기

📕 다음에 이어질 모양에 쌓을 쌓기나무의 수 구하기

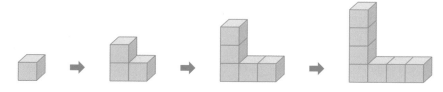

(1) 쌓기나무가 **1**개 → **3**개 → **5**개 → **7**개로 ❶□ 개씩 늘어나는 규칙입니다.

(2) 다음에 이어질 모양에 쌓을 쌓기나무의 개수는 **7**+❷□=❸□(개)입니다.

답 ❶2 ❷2 ❸9

필수 예제 | 04 |

규칙에 따라 쌓기나무를 쌓은 것입니다. 다음에 이어질 모양에 쌓을 쌓기나무의 개수를 구하시오.

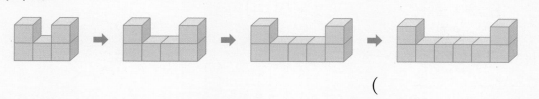

(   )

풀이 | 쌓기나무가 5개 → 6개 → 7개 → 8개로 쌓기나무가 1개씩 늘어나는 규칙입니다.
다음에 이어질 모양에 쌓을 쌓기나무의 개수는 8+1=9(개)입니다.

확인 4-1

규칙에 따라 쌓기나무를 쌓은 것입니다. 다음에 이어질 모양에 쌓을 쌓기나무의 개수를 구하시오.

(   )

확인 4-2

규칙에 따라 쌓기나무를 쌓은 것입니다. 다음에 이어질 모양에 쌓을 쌓기나무의 개수를 구하시오.

(   )

3
주

3주 03일 필수 체크 전략 ❷

[관련 단원] **시각과 시간**

1 시각에 맞게 시곗바늘을 그려 넣으시오.

3시 10분 전

[관련 단원] **시각과 시간**

2 진우가 동물원에 있었던 시간을 시간 띠에 나타내어 구하시오.

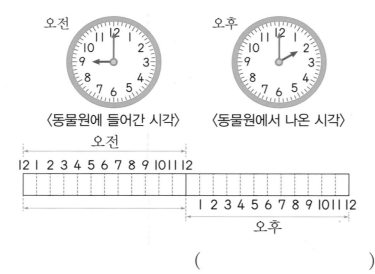

오전 〈동물원에 들어간 시각〉   오후 〈동물원에서 나온 시각〉

오전
12 1 2 3 4 5 6 7 8 9 10 11 12

1 2 3 4 5 6 7 8 9 10 11 12
오후

(   )

시간 띠를 색칠해 봐요!

[관련 단원] **시각과 시간**

3 단풍 축제가 ❶9월 둘째 금요일에 시작해 ❷2주일 후에 끝납니다. 축제가 끝나는 날은 몇 월 며칠인지 쓰시오.

9월						
일	월	화	수	목	금	토
					1	2	3
4	5	6	7	8	9	10
11	12	13	14	15	16	17
18	19	20	21	22	23	24
25	26	27	28	29	30	

(   )

▶정답 및 풀이 22쪽

[관련 단원] 규칙 찾기

4 곱셈표에서 규칙을 찾아 빈칸에 알맞은 수를 써넣으시오.

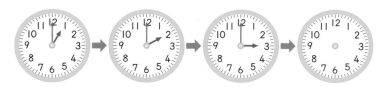

		16	20
10	15	20	
12	18	24	

Tip

· 10에서 오른쪽으로 갈수록 [❶   ]
씩 커집니다.

· 12에서 오른쪽으로 갈수록 [❷   ]
씩 커집니다.

답 ❶ 5 ❷ 6

[관련 단원] 규칙 찾기

5 규칙을 찾아 빈 시계에 시곗바늘을 알맞게 그려 넣으시오.

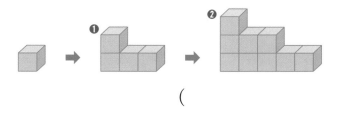

Tip

· 시계가 나타내는 시각은 1시, 2시,
[❶   ] 시입니다.

➡ [❷   ] 시간씩 더해지는 규칙이
있습니다.

답 ❶ 3 ❷ 1

[관련 단원] 규칙 찾기

6 규칙에 따라 쌓기나무를 쌓았습니다. 쌓기나무를 4층으로 쌓으려면 쌓기나무는 모두 몇 개 필요합니까?

( )

Tip

❶ 쌓기나무를 2층으로 쌓은 모양에서
쌓기나무는 1+3=[❶   ](개)입니다.

❷ 쌓기나무를 3층으로 쌓은 모양에서
쌓기나무는 1+3+5=[❷   ](개)입니다.

답 ❶ 4 ❷ 9

대표 예제 | 01 |

시계가 나타내는 시각을 쓰시오.

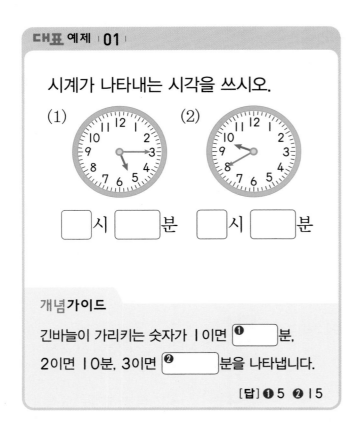

(1) □시 □분

(2) □시 □분

개념가이드

긴바늘이 가리키는 숫자가 1이면 [❶   ]분,
2이면 10분, 3이면 [❷   ]분을 나타냅니다.

[답] ❶ 5 ❷ 15

대표 예제 | 02 |

시각에 맞게 시곗바늘을 그려 넣으시오.

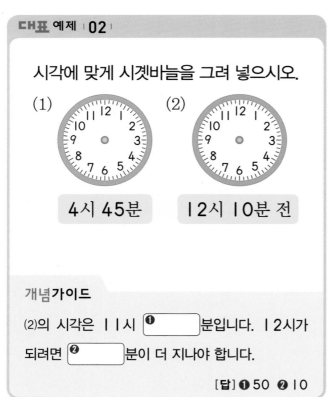

4시 45분

12시 10분 전

개념가이드

(2)의 시각은 11시 [❶   ]분입니다. 12시가
되려면 [❷   ]분이 더 지나야 합니다.

[답] ❶ 50 ❷ 10

대표 예제 | 03 |

□ 안에 알맞은 수를 써넣으시오.

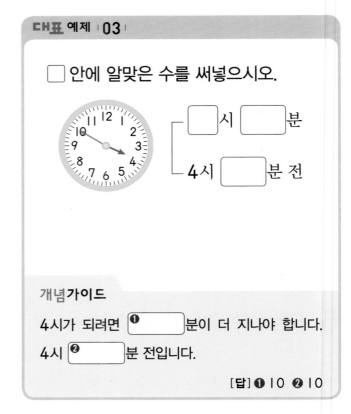

□시 □분

4시 □분 전

개념가이드

4시가 되려면 [❶   ]분이 더 지나야 합니다.
4시 [❷   ]분 전입니다.

[답] ❶ 10 ❷ 10

대표 예제 | 04 |

□ 안에 알맞은 수를 써넣으시오.

(1) 1시간 20분= □분

(2) 140분= □시간 □분

개념가이드

1시간은 [❶   ]분이므로
2시간은 [❷   ]분입니다.

[답] ❶ 60 ❷ 120

잘하고 있어!

대표 예제 05

줄넘기 연습을 한 시간은 몇 분인지 구하시오.

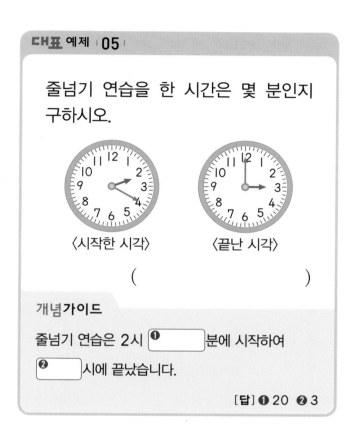

〈시작한 시각〉   〈끝난 시각〉

(   )

개념가이드

줄넘기 연습은 2시 **❶** 분에 시작하여

❷ 시에 끝났습니다.

[답] **❶** 20 **❷** 3

대표 예제 07

□ 안에 알맞은 수를 써넣으시오.

(1) 2일 = □ 시간

(2) 36시간 = □ 일 □ 시간

(3) 3주일 = □ 일

개념가이드

1일은 **❶** 시간, 1주일은 **❷** 일입니다.

[답] **❶** 24 **❷** 7

대표 예제 06

보기 에서 알맞은 말을 골라 (   ) 안에 알맞게 써넣으시오.

보기
오전   오후

(1) 아침 8시   (   )
(2) 저녁 7시   (   )

개념가이드

전날 밤 12시부터 낮 12시까지를 **❶** 이라고 합니다. 낮 12시부터 밤 12시까지를 **❷** 라고 합니다.

[답] **❶** 오전 **❷** 오후

대표 예제 08

11월 2일로부터 2주일 후는 며칠인지 쓰시오.

11월						
일	월	화	수	목	금	토
			1	2	3	4	5
6	7	8	9	10	11	12
13	14	15	16	17	18	19
20	21	22	23	24	25	26
27	28	29	30			

(   )

개념가이드

1주일은 **❶** 일이므로 2주일은 **❷** 일입니다.

[답] **❶** 7 **❷** 14

대표 예제 09

덧셈표를 완성하시오.

+	2	4		8	10
2	4	6	8	10	12
4		8	10	12	14
6	8		12	14	16
8	10	12	14	16	18
	12	14	16	18	

개념가이드

위의 표는 ❶[   ]셈표입니다. 두 수의 ❷[   ]을 이용하여 빈칸에 알맞은 수를 찾습니다.

[답] ❶ 덧 ❷ 합

대표 예제 10

곱셈표를 완성하시오.

×	1	3	5	7	9
1	1	3	5		9
3	3		15	21	27
	5	15	25	35	45
7	7	21		49	63
9	9	27	45	63	

개념가이드

위의 표는 ❶[   ]셈표입니다. 두 수의 ❷[   ]을 이용하여 빈칸에 알맞은 수를 찾습니다.

[답] ❶ 곱 ❷ 곱

대표 예제 11

무늬에 있는 ●을 1, ◆을 2, ▲을 3으로 바꾸어 나타내시오.

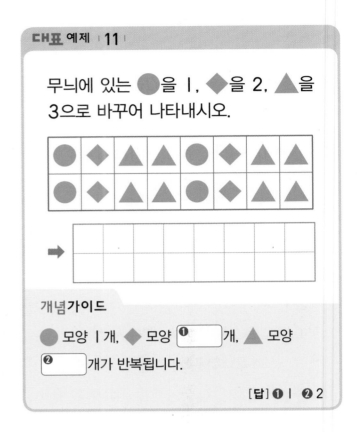

개념가이드

● 모양 1개, ◆ 모양 ❶[   ]개, ▲ 모양 ❷[   ]개가 반복됩니다.

[답] ❶ 1 ❷ 2

대표 예제 12

규칙을 찾아 ☐ 안에 알맞은 모양을 그리고 색칠하시오.

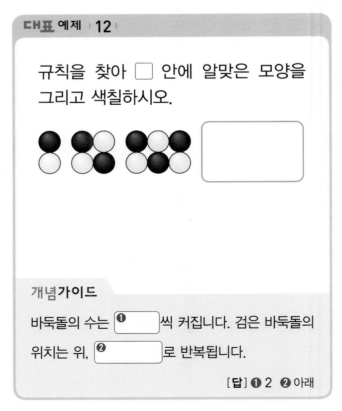

개념가이드

바둑돌의 수는 ❶[   ]씩 커집니다. 검은 바둑돌의 위치는 위, ❷[   ]로 반복됩니다.

[답] ❶ 2 ❷ 아래

힘내!

대표 예제 13

규칙을 찾아 ☐ 안에 알맞은 모양을 그리고 색칠하시오.

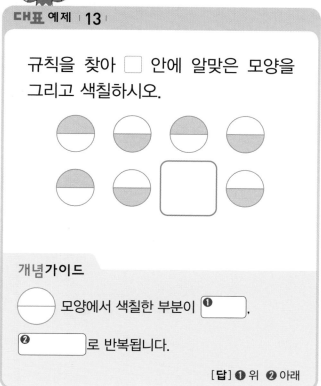

개념가이드

☐ 모양에서 색칠한 부분이 **❶** ☐ ,

❷ ☐ 로 반복됩니다.

[답] ❶ 위 ❷ 아래

대표 예제 15

규칙에 따라 쌓기나무를 쌓을 때 ☐ 안에 알맞은 것을 찾아 ○표 하시오.

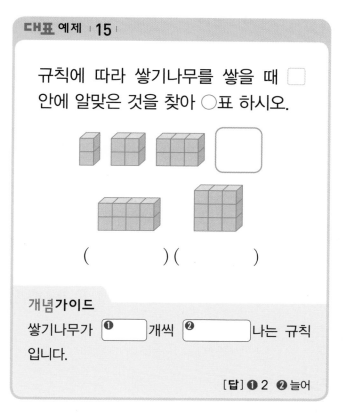

(   ) (   )

개념가이드

쌓기나무가 **❶** ☐ 개씩 **❷** ☐ 나는 규칙입니다.

[답] ❶ 2 ❷ 늘어

대표 예제 14

쌓기나무를 쌓은 규칙을 찾아 ☐ 안에 알맞은 수를 써넣으시오.

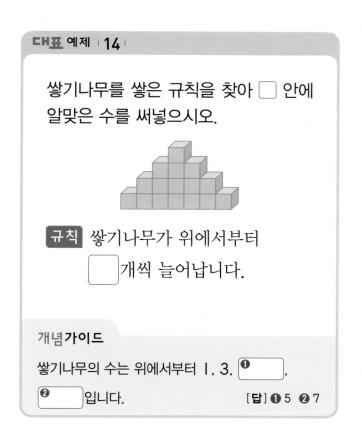

규칙 쌓기나무가 위에서부터 ☐ 개씩 늘어납니다.

개념가이드

쌓기나무의 수는 위에서부터 1, 3, **❶** ☐ , **❷** ☐ 입니다.

[답] ❶ 5 ❷ 7

대표 예제 16

교실에 있는 사물함의 일부분입니다. 규칙을 찾아 ☐ 안에 알맞은 수를 써넣으시오.

개념가이드

→ 방향으로 **❶** ☐ 씩 커지고 ↓ 방향으로

❷ ☐ 씩 커집니다.

[답] ❶ 1 ❷ 7

1 l시 43분을 나타내는 시계에 ○표 하시오.

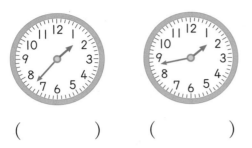

(   )   (   )

> **Tip**
> l시 40분은 시계의 짧은바늘이 [❶]과 2 사이,
> 긴바늘이 숫자 [❷]을 가리킵니다.
>
> 답 ❶ l ❷ 8

2 은성이가 50분 동안 수영을 연습했습니다. 수영 연습이 끝난 시각은 몇 시 몇 분인지 쓰시오.

〈연습을 시작한 시각〉

(   )

> **Tip**
> 수영 연습은 l0시 [❶]분에 시작하여
> [❷]분 후에 끝났습니다.
>
> 답 ❶ 30 ❷ 50

3 모형 시계의 긴바늘을 한 바퀴 돌렸을 때 나타내는 시각을 쓰시오.

(   )

> **Tip**
> 모형 시계가 나타내는 시각은 ll시 [❶]분입니다. 긴바늘이 한 바퀴 돌면 [❷]시간이 지납니다.
>
> 답 ❶ l5 ❷ l

4 어느 해의 ll월 달력입니다. 달력을 완성하시오.

ll월						
일	월	화	수	목	금	토
				l	2	3
4	5					
				l5	l6	l7
l8	l9					24
25	26	27	28			

> **Tip**
> ll월은 [❶]일까지 있습니다. 같은 줄에서
> 오른쪽으로 l칸씩 갈 때 [❷]씩 커집니다.
>
> 답 ❶ 30 ❷ l

5 덧셈표에서 규칙을 찾아 빈칸에 알맞은 수를 써넣으시오.

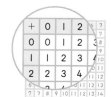

6	7	8	
7	8		10
			11

Tip

같은 줄에서 오른쪽으로 갈수록 **❶**□ 씩 커지고, 아래쪽으로 내려갈수록 **❷**□ 씩 커지는 규칙이 있습니다.

답 ❶ 1 ❷ 1

6 규칙을 찾아 □ 안에 알맞은 모양을 그리고 색칠하시오.

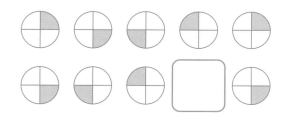

규칙을 찾아 봐요.

Tip

❶□ 방향으로 **❷**□ 칸씩 옮겨 가며 색칠합니다.

답 ❶ 시계 ❷ 1

7 규칙에 따라 쌓기나무를 쌓았습니다. 다음에 이어질 모양에 쌓을 쌓기나무는 모두 몇 개입니까?

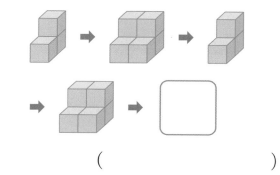

(   )

Tip

쌓기나무가 **❶**□ 개, **❷**□ 개로 반복되는 규칙이 있습니다.

답 ❶ 3 ❷ 6

8 공연장의 자리를 나타낸 것입니다. 민성이의 자리는 22번일 때 어느 열 몇째 자리인지 쓰시오.

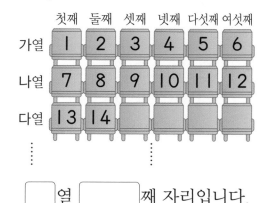

	첫째	둘째	셋째	넷째	다섯째	여섯째
가열	1	2	3	4	5	6
나열	7	8	9	10	11	12
다열	13	14				

□열 □째 자리입니다.

Tip

의자 번호는 → 방향으로 **❶**□ 씩 커지고 ↓ 방향으로 **❷**□ 씩 커집니다.

답 ❶ 1 ❷ 6

주 누구나 만점 전략

01 같은 시각끼리 이으시오.

2시 45분 •

3시 15분 전 •

9시 10분 •

02 □ 안에 알맞은 수를 써넣으시오.

(1) 60분=□시간

(2) 2주일=□일

(3) 1년=□개월

03 나은이가 그림을 그리는 데 걸린 시간은 몇 시간 몇 분인지 쓰시오.

〈시작한 시각〉   〈끝낸 시각〉

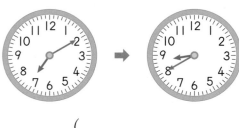

(   )

04 학예회가 10시 30분에 시작하여 50분 동안 열립니다. 학예회가 끝나는 시각은 몇 시 몇 분입니까?

□시 □분에 끝납니다.

05 5월 달력의 일부입니다. 5월에 월요일은 몇 번 있는지 쓰시오.

5월						
일	월	화	수	목	금	토
1	2	3	4	5	6	7
8	9	10	11	12	13	14

(   )

06 규칙에 따라 만든 무늬입니다. 빈칸에 알맞은 모양에 ◯표 하시오.

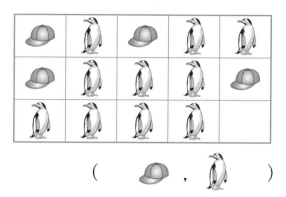

(🧢   ,   🐧   )

07 규칙에 따라 쌓기나무를 쌓았습니다. 다음에 이어질 모양에 쌓을 쌓기나무는 모두 몇 개입니까?

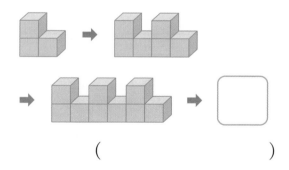

(   )

08 규칙에 맞게 빈 곳에 알맞게 그려 보시오.

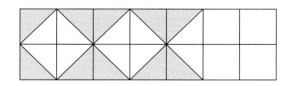

09 곱셈표를 보고 규칙을 바르게 설명한 것을 찾아 기호를 쓰시오.

×	1	3	5	7
1	1	3	5	7
3	3	9	15	21
5	5	15	25	35
7	7	21	35	49

㉠ 모두 홀수입니다.
㉡ ------ 을 따라 접었을 때 만나는 수는 서로 같습니다.
㉢ 같은 줄에서 아래로 내려갈수록 2씩 커집니다.

(   )

10 코끼리 열차의 출발 시각을 나타낸 표입니다. 표에서 찾을 수 있는 규칙을 쓰시오.

코끼리 열차 출발 시각
8시 30분
10시 30분
12시 30분

코끼리 열차는

◻시간마다 출발합니다.

창의 융합

1 주호가 5시 40분에 놀이터에서 출발하여 6시에 집에 도착했습니다. 주호가 집에 가는 데 걸린 시간은 몇 분입니까?

(   )

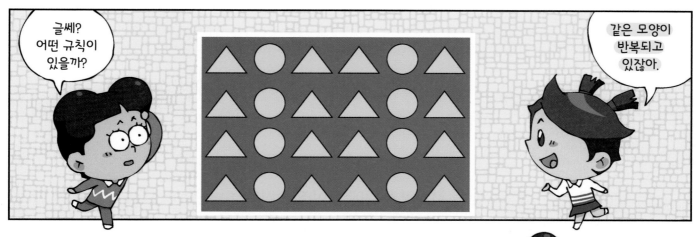

문제 해결

2 포장지 무늬에 있는 모양의 규칙을 찾아 알맞은 화살표에 ○표 하시오.

(↓ , ↘) 방향으로 똑같은 모양이 반복되는 규칙이 있습니다.

창의·융합·코딩 전략 ❷

창의 융합

1 규칙에 따라 꾸며진 커튼의 일부분이 찢어졌습니다. 찢어진 곳에 알맞은 모양을 찾아 ○표 하시오.

( )　( )

Tip

○, △, **❶**[　　] 모양이 반복되고, 노란색과 **❷**[　　]색이 반복되는 규칙이 있습니다.

[답] ❶ □　❷ 초록

창의 융합

2 가게를 여는 시각과 닫는 시각이 팻말에 쓰여 있습니다. 하루 중 더 오랜 시간 동안 열려 있는 가게를 찾아 쓰시오.

| 피자 가게 |
| 여는 시각: 오후 4시 |
| 닫는 시각: 오후 8시 |

| 돈가스 가게 |
| 여는 시각: 오전 11시 |
| 닫는 시각: 오후 2시 |

( )

Tip

피자 가게는 오후 4시부터 오후 **❶**[　　]시까지 **❷**[　　]시간 동안 열려 있습니다.

[답] ❶ 8　❷ 4

3 공연장의 의자 번호를 나타낸 그림입니다. 준호의 자리는 마열 다섯째일 때 준호가 앉을 자리는 몇 번입니까?

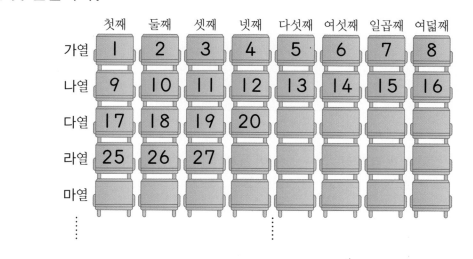

( )

의자에 쓰인 수는 → 방향으로 ❶[ ]씩 커지고 ↓ 방향으로 ❷[ ]씩 커집니다.

[답] ❶1 ❷8

4 문화의 날을 맞아 도서관에서 영화 '돌멩이의 모험'을 상영합니다. 영화가 시작할 때 시계를 보았더니 왼쪽과 같았습니다. 영화가 끝나는 시각은 몇 시 몇 분인지 구해 보시오.

〈영화를 시작한 시각〉

영화 제목	시간
돌멩이의 모험	60분

( )

Tip
영화를 시작한 시각은 ❶[ ]시입니다. 영화는 ❷[ ]시간 후에 끝납니다.

[답] ❶2 ❷1

추론

5 왼쪽에 있는 정원부터 규칙에 따라 꽃을 심었습니다. 규칙에 따라 왼쪽에서 넷째에 있는 정원을 꾸며 보시오. (초록색은 잔디, 갈색은 흙입니다.)

→ 갈색 → 초록색

> **Tip**
>
> 꽃을 심은 칸이 시계 방향으로 [❶] 칸씩 옮겨집니다. 정원에 심은 꽃이 [❷] 송이씩 늘어납니다.

[답] ❶ | ❷ |

문제 해결

6 어느 해 12월 달력의 일부분입니다. 주호가 매주 토요일에 도서관을 간다면 이달에는 도서관을 몇 번 갑니까? (단, 12월에 도서관을 닫는 날은 없습니다.)

12월						
일	월	화	수	목	금	토
				1	2	3
4	5	6	7	8	9	10

매주 토요일에 도서관을 갈 거예요.

(   )

> **Tip**
>
> 12월의 첫째 토요일은 12월 [❶] 일입니다. [❷] 일마다 같은 요일이 반복됩니다.

[답] ❶ 3 ❷ 7

7 고장 난 시계가 나타내는 시각은 현재 시각보다 10분 느립니다. 현재 시각은 11시 10분 전일 때 고장 난 시계에 시곗바늘을 그려 넣으시오.

시계가 고장이 났어요.

Tip

현재 시각은 11시 10분 전이므로 ❶ [   ]시 ❷ [   ]분입니다.

[답] ❶ 10 ❷ 50

8 다음 순서에 따라 쌓기나무를 쌓은 모양의 규칙을 설명했습니다. ☐ 안에 알맞은 수를 써넣으시오.

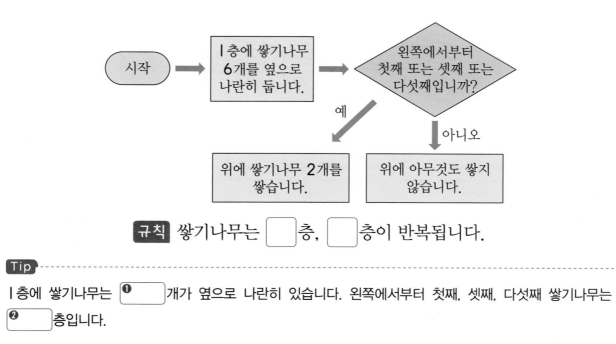

규칙 쌓기나무는 ☐층, ☐층이 반복됩니다.

Tip

1층에 쌓기나무는 ❶ [   ]개가 옆으로 나란히 있습니다. 왼쪽에서부터 첫째, 셋째, 다섯째 쌓기나무는 ❷ [   ]층입니다.

[답] ❶ 6 ❷ 3

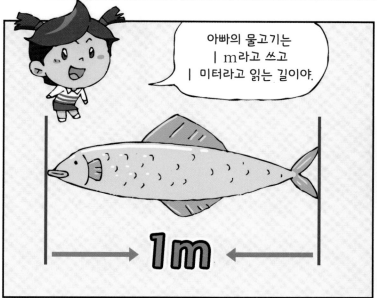

신유형·신경향·서술형 전략

[관련 단원] 네 자리 수

1 고대 잉카 문명에서는 끈을 매듭으로 묶어서 수를 나타내는 '키푸'라는 방법이 있었습니다. 키푸는 위에 있는 매듭이 더 큰 자리를 나타냅니다. 오른쪽은 3246을 키푸로 나타낸 것입니다. 다음 키푸는 어떤 수를 나타내는지 □ 안에 알맞은 수를 써넣으시오.

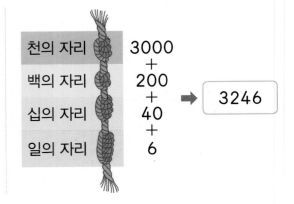

천의 자리	3000
백의 자리	+ 200
십의 자리	+ 40
일의 자리	+ 6

➡ 3246

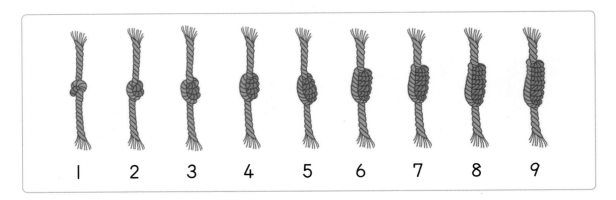

1	2	3	4	5	6	7	8	9

❶  위에 있는 매듭부터 수로 나타내면
4000, 300, □ , □
이므로 □ 을
나타냅니다.

❷ 위에 있는 매듭부터 수로 나타내면
5000, 100, □ , □
이므로 □ 를
나타냅니다.

Tip

매듭이 4개 있으므로 [❶] 자리 수를 나타냅니다. 가장 위에 있는 매듭부터 차례로 천의 자리, 백의 자리, [❷]의 자리, 일의 자리를 나타냅니다.

[답] ❶ 네 ❷ 십

[관련 단원] **곱셈구구**

2 주먹구구법은 중세 유럽에서 사용되던 곱셈 방법으로 5보다 큰 수의 곱을 손가락을 사용하여 구하는 방법입니다. 주먹구구법을 사용하여 곱셈을 해 보시오.

주먹구구법

① 6부터 9까지의 수를 오른쪽과 같이 손으로 나타냅니다.

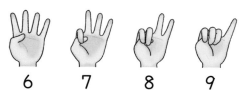

6　7　8　9

② 곱하는 두 수를 양손을 사용하여 각각 나타냅니다.

7×9 ➡

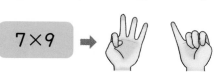

③ 양손의 접은 손가락 수의 합을 계산 결과의 십의 자리에 쓰고, 편 손가락 수의 곱을 계산 결과의 일의 자리에 씁니다.

$$\begin{array}{l} \text{접은 손가락 수의 합: } 2+4=6 \\ \text{편 손가락 수의 곱: } 3\times1=3 \end{array} \Rightarrow 7\times9=63$$

---

❶

	접은 손가락 수의 합	편 손가락 수의 곱	계산 결과
9×6 ➡	□ + □ = □	□ × □ = □	➡ □□

---

❷

	접은 손가락 수의 합	편 손가락 수의 곱	계산 결과
8×7 ➡	□ + □ = □	□ × □ = □	➡ □□

Tip

접은 손가락 수의 합은 ❶[　　]의 자리 숫자이고, 편 손가락 수의 곱의 ❷[　　]의 자리 숫자입니다

[답] ❶ 십 ❷ 일

[관련 단원] 길이 재기

3 석화네 동네의 그림지도입니다. 석화가 집에서 출발하여 다음과 같은 순서대로 갔다가 다시 집으로 돌아왔습니다. 가장 가까운 길로 다녀왔다고 할 때, 물음에 답하시오. (단, 한 번 지나간 길은 다시 지나가지 않습니다.)

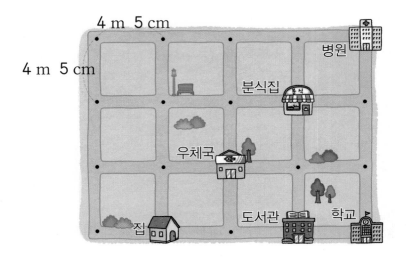

집 ➡ 도서관 ➡ 분식집 ➡ 우체국 ➡ 집

❶ 석화가 지나간 길을 선으로 표시하시오.

❷ 석화가 지나간 길은 4 m 5 cm가 몇 번입니까?

(   )

❸ 석화가 지나간 길은 모두 몇 m 몇 cm입니까?

(   )

Tip

4 m 5 cm를 2번 더하면 (4×2) m+(5×2) cm이고,

4 m 5 cm를 3번 더하면 $(4 \times \boxed{①})$ m+$(5 \times \boxed{②})$ cm입니다.

[답] ❶ 3 ❷ 3

[관련 단원] 시각과 시간

4 승진이의 생활 계획표를 보고 문장을 완성하고, 주어진 시각을 시계에 나타내시오.

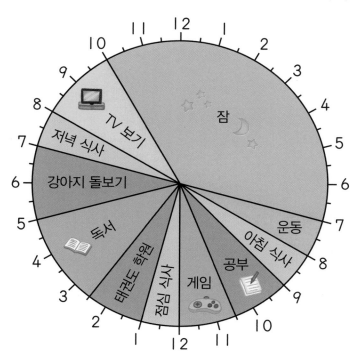

① 오전 9시 40분에는 [   ]를 하고 있습니다.

9시 40분 ➡

② 오후 4시 15분에는 [   ]를 하고 있습니다.

4시 15분 ➡

Tip

오전 7시와 8시 사이에 운동을 하고 있다면 오전 7시 30분에도 **❶** [   ]을 하고 있을 것입니다.

오전 8시와 9시 사이에 아침 식사를 하고 있다면 오전 8시 15분에도 **❷** [   ]를 하고 있을 것입니다.

[답] **❶** 운동 **❷** 아침 식사

[관련 단원] 표와 그래프

5 미진이와 정현이가 과녁에 화살 맞히기 놀이를 했습니다. 맞힌 화살의 위치를 보고 물음에 답하시오.

① 미진이와 정현이가 맞힌 화살의 위치를 보고 표를 완성하시오.

점수		5점	3점	1점	합계
맞힌 화살 수 (개)	미진	1			
	정현	3			

② 미진이와 정현이의 점수를 각각 구하시오.

미진
$5 \times 1 = 5$, $3 \times \boxed{} = \boxed{}$, $1 \times \boxed{} = \boxed{}$ ➡ $5 + \boxed{} + \boxed{} = \boxed{}$ (점)

정현
$5 \times 3 = 15$, $3 \times \boxed{} = \boxed{}$, $1 \times \boxed{} = \boxed{}$ ➡ $15 + \boxed{} + \boxed{} = \boxed{}$ (점)

③ 과녁에 맞힌 화살 수는 (미진 , 정현)이 더 많지만 점수는 (미진 , 정현)이 더 높습니다.

Tip

표에서 합계를 구할 때에는 각 사람별로 맞힌 화살 수를 ❶ [＿＿＿＿]합니다. 두 사람의 점수를 각각 계산할 때에는 각 점수와 그 점수에 맞힌 ❷ [＿＿＿＿] 수를 곱한 다음, 곱한 값을 모두 더합니다.

[답] ❶ 더 ❷ 화살

[관련 단원] **규칙 찾기**

6 토끼와 다람쥐가 규칙적으로 움직이고 있습니다. 움직이는 규칙을 찾아 일곱 번째 토끼와 다람쥐의 위치를 알아보시오.

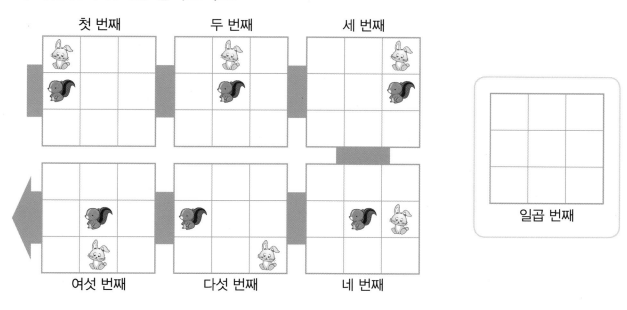

첫 번째 　　　두 번째 　　　세 번째

여섯 번째 　　　다섯 번째 　　　네 번째

일곱 번째

❶ 토끼가 움직이는 규칙을 완성하고, 일곱 번째 토끼의 위치에 ○표 하시오.

(시계 방향 , 시계 반대 방향)으로 ▢칸씩 움직입니다.

❷ 다람쥐가 움직이는 규칙을 완성하고, 일곱 번째 다람쥐의 위치에 △표 하시오.

오른쪽으로 ▢칸씩 끝까지 움직인 다음, 왼쪽으로 ▢칸씩 끝까지 움직이고,

다시 오른쪽으로 ▢칸씩 움직입니다.

Tip

▢ 와 같이 움직이는 동물은 ❶▢이고, ▢ 와 같이 움직이는 동물은 ❷▢입니다.

[답] ❶ 토끼 ❷ 다람쥐

01 빈칸에 알맞은 수를 써넣으시오.

```
 ┼────┼────┼────┼────┼
997   998   999  ☐
```

999보다 1만큼 더 큰 수는

☐ 입니다.

02 그림을 보고 ☐ 안에 알맞은 수를 써넣으시오.

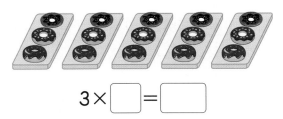

$3 \times \boxed{} = \boxed{}$

03 ☐ 안에 알맞은 수를 써넣으시오.

(1) $7 \times 6 = \boxed{}$

(2) $9 \times 4 = \boxed{}$

04 관계있는 것끼리 선으로 이으시오.

| 1000이 4개 | • | • | 2000 |

| 삼천 | • | • | 3000 |

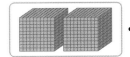 • • 4000

05 수 모형이 나타내는 수를 쓰고 읽어 보시오.

쓰기 _____

읽기 _____

천 모형, 백 모형, 십 모형, 일 모형의 개수를 각각 세어 보세요.

06 숫자 9가 얼마를 나타내는지 쓰시오.

(1) 3090 ➡ (   )

(2) 9400 ➡ (   )

같은 숫자라도 어느 자리에 있느냐에 따라 나타내는 값이 달라요.

07 5738의 각 자리의 숫자는 얼마를 나타내는지 쓰시오.

5738 에서

ㅡ 5가 나타내는 값 ➡ [   ]

ㅡ 7이 나타내는 값 ➡ [   ]

ㅡ 3이 나타내는 값 ➡ [   ]

ㅡ 8이 나타내는 값 ➡ [   ]

08 두 수의 크기를 비교하여 ◯ 안에 > 또는 <를 알맞게 써넣으시오.

(1) 5200 ◯ 5199

(2) 삼천구백십 ◯ 삼천구백팔

09 곱을 바르게 나타낸 것은 어느 것입니까? .... (   )

① $1 \times 1 = 0$ ② $1 \times 9 = 1$
③ $0 \times 5 = 5$ ④ $5 \times 1 = 5$
⑤ $3 \times 0 = 3$

10 1000씩 뛰어 세어 보시오.

2806			5806
6806	7806		9806

11 □ 안에 알맞은 수를 써넣으시오.

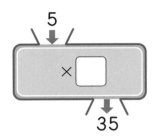

12 곱이 가장 큰 것을 찾아 기호를 쓰시오.

> ㉠ 3×9　　㉡ 9×4
> ㉢ 6×7　　㉣ 8×5

(　　　　　　　)

13 정호가 전화로 한 통화에 1000원인 이웃 돕기 성금을 3번 냈습니다. 정호가 낸 성금은 모두 얼마입니까?

(　　　　　　　)

14 곱셈표를 완성하고, 6×8과 곱이 같은 곱셈구구는 무엇인지 쓰시오.

×	6	7	8	9
6	36	42		
7			56	
8		56		
9				81

(　　　　　　　)

15 수현이네 농장에는 말이 5마리 있습니다. 말의 다리는 모두 몇 개인지 곱셈식을 쓰고 답을 구하시오.

곱셈식 _____

답 _____

16 사과가 모두 몇 개인지 알아보려고 합니다. 잘못된 방법을 찾아 기호를 쓰시오.

> ㉠ 8+8+8+8+8
> ㉡ 8×4에 8을 더합니다.
> ㉢ 8×5
> ㉣ 5×7에 8을 더합니다.

( )

17 수 배열표를 보고 물음에 답하시오.

6654	6664	6674	6684	6694
7654	7664	7674		7694
8654		8674		
9654			㉠	

(1) ➡ 는 얼마씩 뛰어 센 것입니까?

( )

(2) ㉠에 들어갈 수를 구하시오.

( )

18 빈 카드에 알맞은 수를 써넣어 1000을 만드시오.

| 500 | |

| | 990 |

19 꽃다발 한 개에 장미가 7송이씩 있습니다. 꽃다발 3개에는 장미가 모두 몇 송이 있는지 곱셈식을 쓰고 답을 구하시오.

곱셈식 _____

답 _____

20 도현이의 나이는 9살입니다. 도현이 어머니는 도현이 나이의 4배보다 3살 많다고 합니다. 도현이 어머니의 나이는 몇 살입니까?

( )

01 □ 안에 알맞은 수를 써넣으시오.

(1) 512 cm = □ m □ cm

(2) 7 m 26 cm = □ cm

02 cm와 m 중 알맞은 단위를 쓰시오.

(1) 칠판 긴 쪽의 길이:

➡ 약 3 □

(2) 교실 문의 높이:

➡ 약 200 □

03 자에서 화살표가 가리키는 눈금을 읽으시오.

□ m □ cm

100 101 102 103 104 105 106

1 m

04 길이의 합을 구하시오.

```
      8  m   38  cm
  +   1  m   57  cm
  ─────────────────
      □  m   □  cm
```

m는 m끼리,
cm는 cm끼리
계산합니다.

05 길이의 차를 구하시오.

```
     16  m   85  cm
  −   8  m   26  cm
  ─────────────────
      □  m   □  cm
```

[06~10] 민우네 반 학생들이 좋아하는 계절을 조사했습니다. 물음에 답하시오.

민우네 반 학생들이 좋아하는 계절

이름	계절	이름	계절
민우	겨울	정수	여름
승찬	겨울	성호	가을
은혜	여름	미진	여름
도희	봄	진현	겨울
효민	가을	연욱	봄
정아	여름	준호	봄

06 진현이가 좋아하는 계절은 무엇입니까?

( )

진현이의 이름을 표에서 찾아봅니다.

07 봄을 좋아하는 학생을 모두 찾아 이름을 쓰시오.

( )

08 민우네 반 학생들이 좋아하는 계절을 표로 나타내시오.

좋아하는 계절별 학생 수

계절	봄	여름	가을	겨울	합계
학생 수 (명)					

09 위 08과 같이 표로 나타내면 좋은 점을 찾아 기호를 쓰시오.

> ㉠ 계절별 좋아하는 학생 수를 쉽게 알 수 있습니다.
> ㉡ 각 학생별로 좋아하는 계절이 무엇인지 알 수 있습니다.

( )

10 가장 많은 학생들이 좋아하는 계절은 무엇입니까?

( )

11 몸에서 길이가 약 1 m인 것을 찾아 기호를 쓰시오.

> ㉠ 손톱의 길이
> ㉡ 양팔을 벌린 길이
> ㉢ 발 길이
> ㉣ 한 뼘의 길이

(   )

12 세호와 지우 중 가지고 있는 노끈의 길이가 더 긴 사람은 누구입니까?

나는 노끈을 320 cm 가지고 있어.

나는 노끈을 3 m 80 cm 가지고 있어.

세호   지우

(   )

13 교실의 긴 쪽의 길이를 재려고 합니다. 다음 방법으로 잴 때 재는 횟수가 많은 것부터 차례로 기호를 쓰시오.

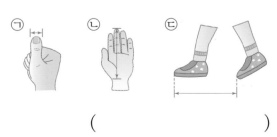

㉠   ㉡   ㉢

(   )

14 가장 긴 길이와 가장 짧은 길이의 합은 몇 m 몇 cm입니까?

| 3 m 56 cm | 2 m 38 cm |
| 3 m 30 cm | 4 m 15 cm |

(   )

15 수 카드 3장을 한 번씩 사용하여 가장 짧은 길이를 만들고, 그 길이와 8 m 50 cm의 차를 구하시오.

2   4   7

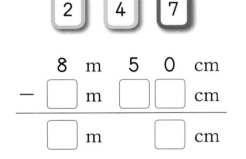

```
      8  m   5  0  cm
  -  □  m  □  □  cm
  ─────────────────────
     □  m      □  cm
```

m 단위가 짧을수록 길이가 짧습니다.

[16~20] 성현이네 반 학생들의 혈액형을 조사하여 나타낸 표입니다. 물음에 답하시오.

혈액형별 학생 수

혈액형	A형	B형	O형	AB형	합계
학생 수 (명)	8	3	7	4	22

16 표를 보고 그래프로 나타내시오.

혈액형별 학생 수

학생 수 (명) \ 혈액형	A형	B형	O형	AB형
8				
7				
6				
5				
4				
3				
2				
1	○			

17 위 **16**의 그래프에서 가로와 세로에 나타낸 것은 각각 무엇입니까?

가로 (   )

세로 (   )

18 성현이네 반 학생은 모두 몇 명입니까?

(   )

19 학생 수가 많은 혈액형부터 차례로 쓰시오.

(   )

20 그래프를 보고 알 수 있는 내용을 찾아 기호를 쓰시오.

> ㉠ 학생 수가 가장 많은 혈액형을 한눈에 알 수 있습니다.
> ㉡ A형 남학생은 몇 명인지 알 수 있습니다.
> ㉢ 성현이의 혈액형을 알 수 있습니다.

(   )

01 시각을 쓰시오.

(   )

02 시각에 맞게 시곗바늘을 그려 넣으시오.

8:46

03 다음 시각은 몇 시 몇 분 전입니까?

(   )

[04~05] 덧셈표를 보고 물음에 답하시오.

+	4	5	6	7
4	8	9	10	11
5	9	10	11	12
6	10	11		
7	11	12		

04 빈칸에 알맞은 수를 써넣으시오.

05 ▨으로 칠해진 수는 아래쪽으로 내려갈수록 몇씩 커지는 규칙이 있습니까?

(   )

9, 10, 11, 12는 몇씩 커지는지 알아봅니다.

06 ☐ 안에 알맞은 수를 써넣으시오.

(1) 1시간 30분 = ☐ 분

(2) 140분 = ☐ 시간 ☐ 분

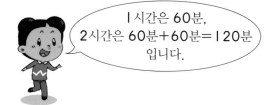

1시간은 60분,
2시간은 60분+60분=120분
입니다.

07 ( ) 안에 오전과 오후를 알맞게 써넣으시오.

(1) 새벽 4시   (   )

(2) 낮 2시   (   )

(3) 저녁 8시   (   )

[08~10] 곱셈표를 보고 물음에 답하시오.

×	3	4	5	6
3	9	12	15	18
4	12	16	20	
5	15	20		
6	18			

08 빈칸에 알맞은 수를 써넣으시오.

09 ▨으로 칠해진 곳과 규칙이 같은 곳을 찾아 색칠하시오.

10 ➡으로 칠해진 수의 규칙을 찾아 쓰시오.

_____

_____

11 ☐ 안에 알맞은 수를 써넣으시오.

(1) 1일 6시간= ☐ 시간

(2) 36개월= ☐ 년

(3) 1년 10개월= ☐ 개월

12 카드가 놓여 있는 규칙을 완성하시오.

ㅌ, ㅍ, ☐ 이 반복되고, 흰색과 ☐ 이 반복되는 규칙이 있습니다.

13 다음은 수현이가 공부를 시작한 시각과 끝낸 시각을 나타낸 것입니다. 수현이가 공부를 하는 데 걸린 시간을 구하시오.

시작한 시각

끝낸 시각

(   )

14 어느 해의 7월 달력입니다. 달력을 완성하시오.

일	월	화	수	목	금	토
						4
5	6					
			15	16		
						25
26						

7월은 며칠까지 있는지 생각해 봅니다.

15 위 14의 달력을 보고 ☐ 안에 알맞은 말을 써넣으시오.

(1) 15일은 ☐ 요일입니다.

(2) 15일에서 1주일 후는 ☐ 요일입니다.

(3) 15일에서 5일 전은 ☐ 요일입니다.

16 규칙을 찾아 세모 안에 •을 알맞게 그리시오.

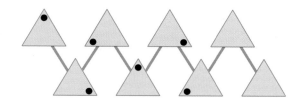

17 다음은 거울에 비친 시계의 모습입니다. 시계가 나타내는 시각은 몇 시 몇 분입니까?

( )

18 오른쪽과 같은 규칙에 따라 쌓기나무를 4층으로 쌓으려면 쌓기나무는 모두 몇 개 필요합니까?

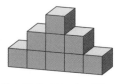

( )

19 시계를 보고 규칙을 찾아 마지막 시계의 시각을 구하시오.

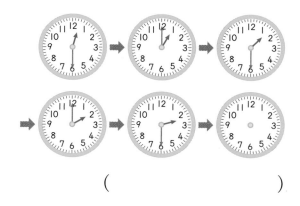

( )

20 곱셈표에서 규칙을 찾아 빈칸에 알맞은 수를 써넣으시오.

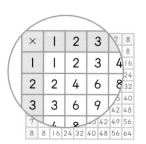

			25
12	18	24	
		28	35

메모

초등생의 필수 학습!
탄탄하게 다져두자!

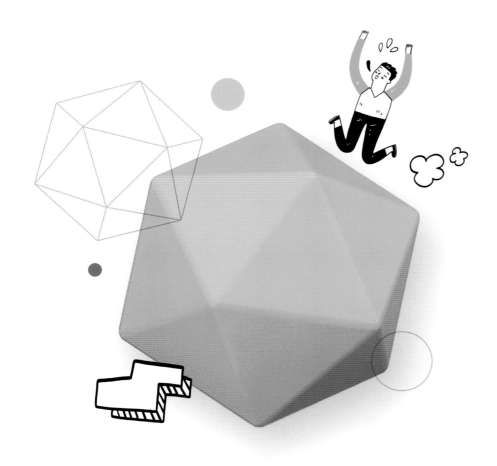

수학 전략

초등 **수학**

천재교육

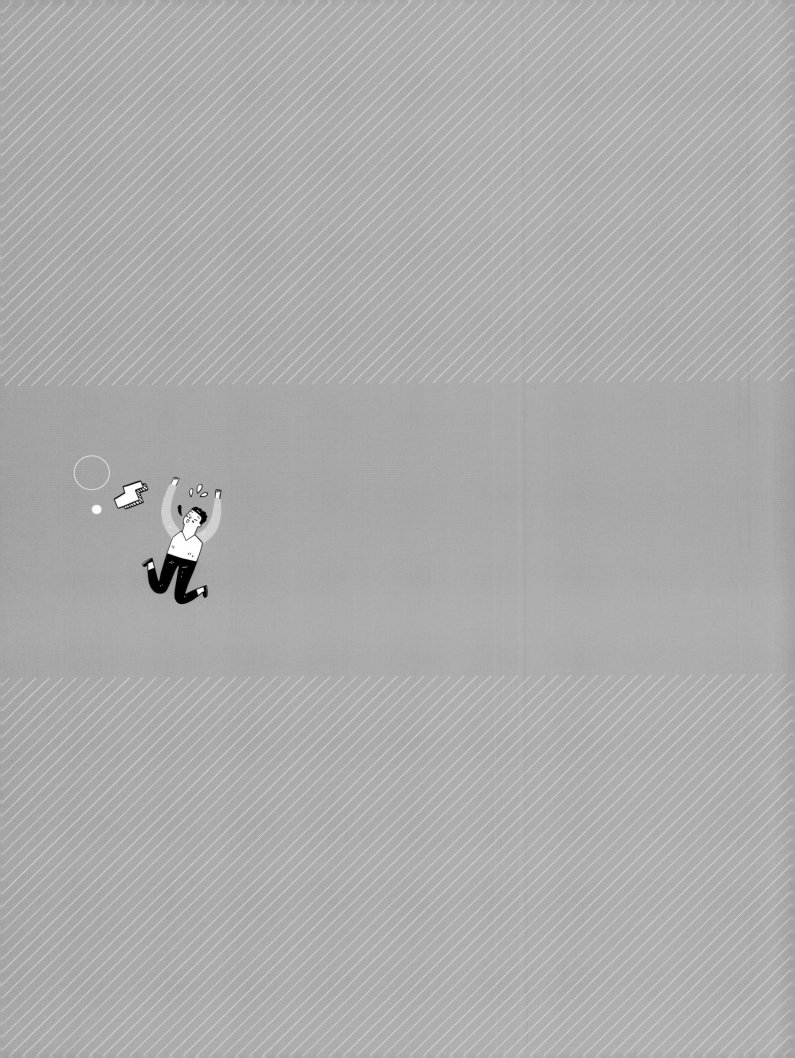

초등생의 필수 학습!
탄탄하게 다져두자!

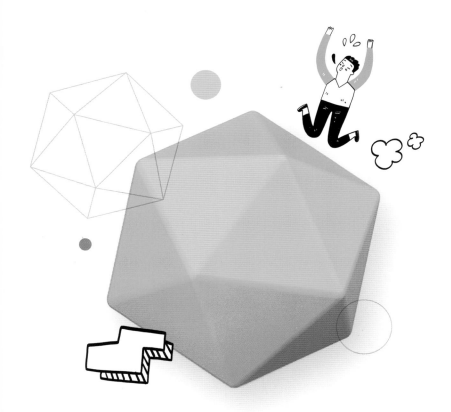

수학
전략

초등 **수학**

2·2

핵심개념 & 연산 집중연습

천재교육

2·2

목차

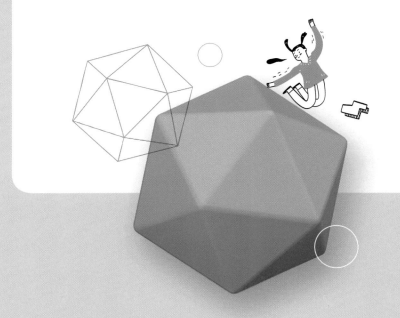

1 1000 알아보기

○ 1000을 수 모형으로 알아보기

100이 10개이면 1000입니다.

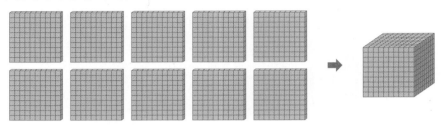

1000은 [❶   ]이라고 읽습니다.

○ 1000을 수직선으로 알아보기

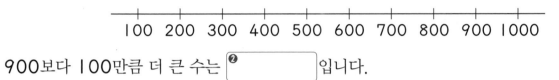

900보다 100만큼 더 큰 수는 [❷   ]입니다.

[답] ❶ 천 ❷ 1000

핵심체크

1   100이 10개이면 (100 , 1000)입니다.

2   1000은 (백 , 천)이라고 읽습니다.

999보다 1만큼 더 큰 수는 1000이에요

2 몇천 알아보기

● 몇천 알아보기

1000이 2개이면 2000입니다.
2000은 이천이라고 읽습니다.

1000이 3개이면 3000입니다.
3000은 삼천이라고 읽습니다.

1000이 4개이면 [❶   ]입니다.

4000은 [❷   ]이라고 읽습니다.

1000이 5개		1000이 6개		1000이 7개		1000이 8개		1000이 9개	
쓰기	읽기	쓰기	읽기	쓰기	읽기	쓰기	읽기	쓰기	읽기
5000	오천	6000	육천	7000	칠천	8000	팔천	9000	구천

[답] ❶ 4000 ❷ 사천

핵심 체크

1

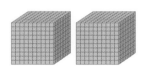

1000이 (2 , 3)개이면 2000입니다.
2000은 (이천 , 삼천)이라고 읽습니다.

2 칠천이라고 읽는 수는 (700 , 7000)이라고 씁니다.

■천은
■000이라고
써요.

3 네 자리 수 알아보기

● 3258 알아보기

천 모형	백 모형	십 모형	일 모형
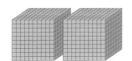			

1000이 3개, 100이 2개, 10이 5개, 1이 8개이면 [❶   ]입니다.

3258은 삼천이백오십팔이라고 읽습니다.

● 수 모형이 나타내는 수 쓰고 읽기

1000이 2개, 10이 3개, 1이 4개인 수

➡ (쓰기) [❷   ]

(읽기) 이천삼십사

[답] ❶ 3258 ❷ 2034

핵심체크

1

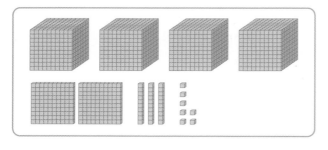

수 모형이 나타내는 수는
(3247 , 4237)입니다.

2   6307은 (육천삼백칠십 , 육천삼백칠)이라고 읽습니다.

숫자 0은 읽지 않아요.

4 각 자리의 숫자가 나타내는 값 알아보기

● 372 I 알아보기

천의 자리	백의 자리	십의 자리	일의 자리
3	7	2	I

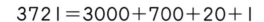

3	0	0	0
	7	0	0
		2	0
			I

3은 천의 자리 숫자이고, 3000을 나타냅니다.

7은 백의 자리 숫자이고, **❶** 을 나타냅니다.

2는 십의 자리 숫자이고, **❷** 을 나타냅니다.

I은 일의 자리 숫자이고, I을 나타냅니다.

자릿값을 알아봐요!

$$372 I = 3000 + 700 + 20 + I$$

[답] ❶ 700 ❷ 20

핵심 체크

1 4375에서 3은 백의 자리 숫자이고, (300 , 30)을 나타냅니다.

2 7285에서 7은 (천 , 백)의 자리 숫자이고, 7000을 나타냅니다.

7285에서 8은 십의 자리 숫자예요.

5 뛰어 세기

뛰어서 세어 보기

1000씩 뛰어서 세면 ❶ ☐ 의 자리 수가 1씩 커집니다.

| 1563 |—| 2563 |—| 3563 |—| 4563 |—| 5563 |

100씩 뛰어서 세면 ❷ ☐ 의 자리 수가 1씩 커집니다.

| 3285 |—| 3385 |—| 3485 |—| 3585 |—| 3685 |

10씩 뛰어서 세면 십의 자리 수가 1씩 커집니다.

| 5934 |—| 5944 |—| 5954 |—| 5964 |—| 5974 |

1씩 뛰어서 세면 일의 자리 수가 1씩 커집니다.

| 7652 |—| 7653 |—| 7654 |—| 7655 |—| 7656 |

[답] ❶ 천 ❷ 백

핵심체크

1

| 4245 |—| 5245 |—| 6245 |—| 7245 |—| 8245 |

➡ (천 , 백)의 자리 수가 1씩 커지므로 (1000 , 100)씩 뛰어서 세었습니다.

2

| 8925 |—| 8935 |—| 8945 |—| 8955 |—| 8965 |

➡ 8925부터 (100 , 10)씩 뛰어서 세었습니다.

6 수의 크기 비교하기

◦ 3245와 1429 크기 비교

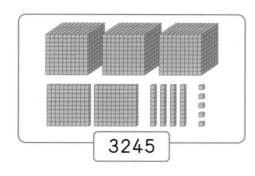
3245

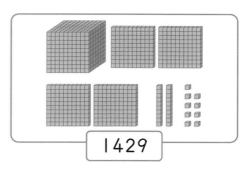
1429

3245는 천 모형이 3개, 1429는 천 모형이 [①] 개입니다. ➡ 3245 > 1429

◦ 비교하는 방법

① 천의 자리 수가 클수록 큰 수입니다.

② 천의 자리 수가 같으면 [②] 의 자리 수가 클수록 큰 수입니다.

③ 천의 자리 수, 백의 자리 수가 각각 같으면 십의 자리 수가 클수록 큰 수입니다.

④ 천의 자리 수, 백의 자리 수, 십의 자리 수가 각각 같으면 일의 자리 수가 클수록 큰 수입니다.

[답] ❶ 1 ❷ 백

핵심체크

1 4325는 2479보다 천의 자리 수가 더 (크므로 , 작으므로)
   4325는 2479보다 더 (큽니다 , 작습니다).

2 8312는 8093보다 (천 , 백)의 자리 수가 더 크므로
   8312는 8093보다 더 (큽니다 , 작습니다).

천, 백, 십,
일의 자리 수를
차례로 비교해요.

집중 연습

[01~08] 수를 읽으시오.

01 3820 ➡ (   )

02 1394 ➡ (   )

03 4492 ➡ (   )

04 6304 ➡ (   )

05 7291 ➡ (   )

06 5783 ➡ (   )

07 2759 ➡ (   )

08 8401 ➡ (   )

[09~16] 수로 나타내시오.

09 사천이백칠십일
➡ (   )

13 천백오십사 ➡ (   )

10 팔천오백육십사
➡ (   )

14 오천사백삼 ➡ (   )

11 육천오백삼십칠
➡ (   )

15 구천육십오 ➡ (   )

12 오천삼백삼십팔
➡ (   )

16 삼천오 ➡ (   )

[17~20] 밑줄 친 숫자는 얼마를 나타내는지 쓰시오.

17 32<u>1</u>4 ➡ (   )

18 <u>4</u>921 ➡ (   )

19 52<u>3</u>6 ➡ (   )

20 120<u>9</u> ➡ (   )

[21~24] 뛰어 세려고 합니다. 빈 곳에 알맞은 수를 써넣으시오.

21 | 3000 | 4000 | 5000 | |

22 | 1297 | 1298 | 1299 | |

23 | 5020 | 5030 | 5040 | |

24 | 4800 | 4900 | 5000 | |

[25~32] 두 수의 크기를 비교하여 ◯ 안에 > 또는 <를 알맞게 써넣으시오.

25 3280 ◯ 4493

26 5403 ◯ 2834

27 4920 ◯ 3853

28 9432 ◯ 9243

29 3924 ◯ 3903

30 1039 ◯ 1392

31 8409 ◯ 8400

32 9604 ◯ 9064

7 2단 곱셈구구, 5단 곱셈 구구

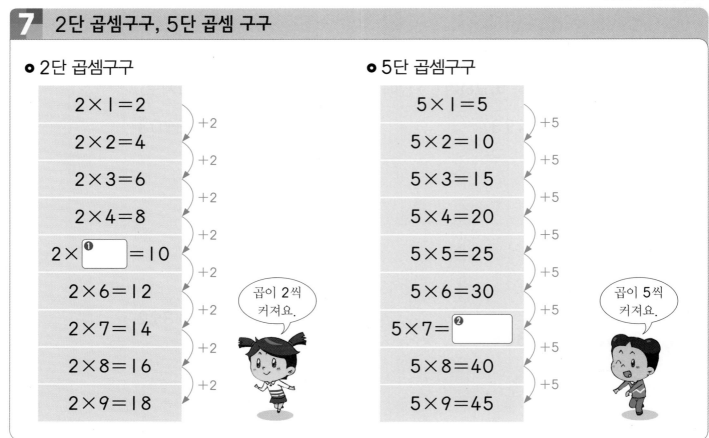

● 2단 곱셈구구

$2 \times 1 = 2$
$2 \times 2 = 4$ $+2$
$2 \times 3 = 6$ $+2$
$2 \times 4 = 8$ $+2$
$2 \times \boxed{❶} = 10$ $+2$
$2 \times 6 = 12$ $+2$
$2 \times 7 = 14$ $+2$
$2 \times 8 = 16$ $+2$
$2 \times 9 = 18$ $+2$

곱이 2씩 커져요.

● 5단 곱셈구구

$5 \times 1 = 5$
$5 \times 2 = 10$ $+5$
$5 \times 3 = 15$ $+5$
$5 \times 4 = 20$ $+5$
$5 \times 5 = 25$ $+5$
$5 \times 6 = 30$ $+5$
$5 \times 7 = \boxed{❷}$ $+5$
$5 \times 8 = 40$ $+5$
$5 \times 9 = 45$ $+5$

곱이 5씩 커져요.

[답] ❶ 5 ❷ 35

핵심체크

1

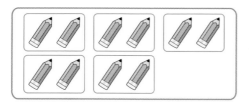

연필은 모두
($2 \times 5 = 8$, $2 \times 5 = 10$)(자루)입니다.

2

풍선은 모두
($5 \times 2 = 10$, $5 \times 3 = 15$)(개)입니다.

8 3단 곱셈구구, 6단 곱셈구구

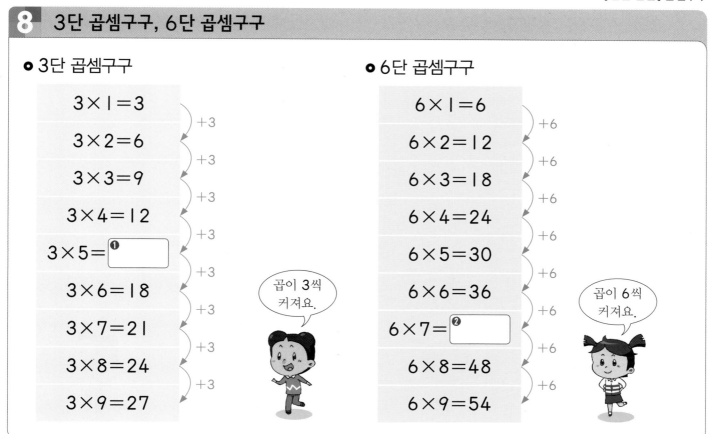

○ 3단 곱셈구구

$3 \times 1 = 3$
$3 \times 2 = 6$ +3
$3 \times 3 = 9$ +3
$3 \times 4 = 12$ +3
$3 \times 5 = $ ❶   +3
$3 \times 6 = 18$ +3
$3 \times 7 = 21$ +3
$3 \times 8 = 24$ +3
$3 \times 9 = 27$ +3

곱이 3씩 커져요.

○ 6단 곱셈구구

$6 \times 1 = 6$
$6 \times 2 = 12$ +6
$6 \times 3 = 18$ +6
$6 \times 4 = 24$ +6
$6 \times 5 = 30$ +6
$6 \times 6 = 36$ +6
$6 \times 7 = $ ❷   +6
$6 \times 8 = 48$ +6
$6 \times 9 = 54$ +6

곱이 6씩 커져요.

[답] ❶ 15 ❷ 42

핵심체크

1

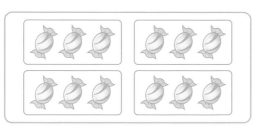

사탕은 모두
($3 \times 3 = 9$, $3 \times 4 = 12$)(개)입니다.

2

도넛은 모두
($6 \times 3 = 15$, $6 \times 3 = 18$)(개)입니다.

9 4단 곱셈구구, 8단 곱셈 구구

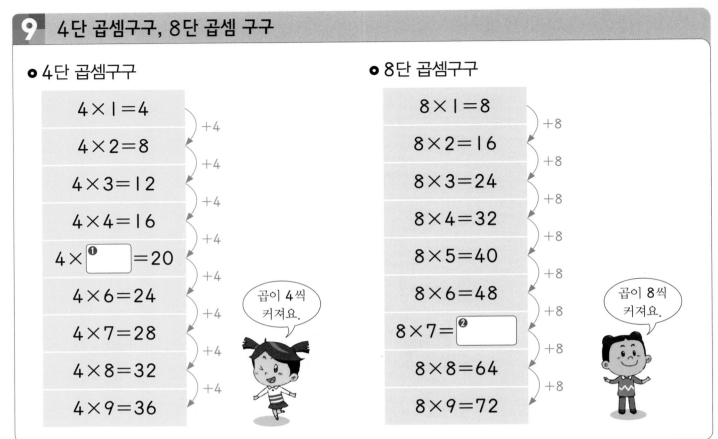

● 4단 곱셈구구

$4 \times 1 = 4$
$4 \times 2 = 8$
$4 \times 3 = 12$
$4 \times 4 = 16$
$4 \times \boxed{❶} = 20$
$4 \times 6 = 24$
$4 \times 7 = 28$
$4 \times 8 = 32$
$4 \times 9 = 36$

$+4$ (반복)

곱이 4씩 커져요.

● 8단 곱셈구구

$8 \times 1 = 8$
$8 \times 2 = 16$
$8 \times 3 = 24$
$8 \times 4 = 32$
$8 \times 5 = 40$
$8 \times 6 = 48$
$8 \times 7 = \boxed{❷}$
$8 \times 8 = 64$
$8 \times 9 = 72$

$+8$ (반복)

곱이 8씩 커져요.

[답] ❶ 5 ❷ 56

핵심체크

1

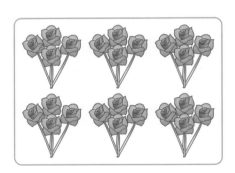

꽃은 모두
($4 \times 6 = 24$, $4 \times 6 = 28$)(송이)입니다.

2

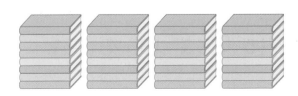

책은 모두
($8 \times 3 = 32$, $8 \times 4 = 32$)(권)입니다.

10 7단 곱셈구구, 9단 곱셈구구

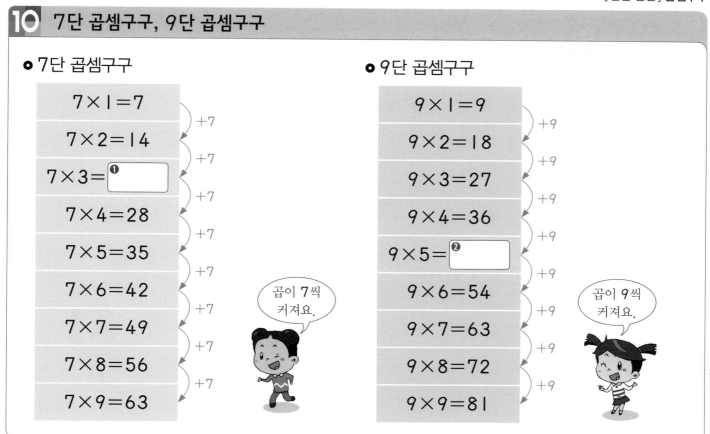

○ 7단 곱셈구구

$7 \times 1 = 7$
$7 \times 2 = 14$ +7
$7 \times 3 = $ ❶ +7
$7 \times 4 = 28$ +7
$7 \times 5 = 35$ +7
$7 \times 6 = 42$ +7
$7 \times 7 = 49$ +7
$7 \times 8 = 56$ +7
$7 \times 9 = 63$ +7

곱이 7씩 커져요.

○ 9단 곱셈구구

$9 \times 1 = 9$
$9 \times 2 = 18$ +9
$9 \times 3 = 27$ +9
$9 \times 4 = 36$ +9
$9 \times 5 = $ ❷ +9
$9 \times 6 = 54$ +9
$9 \times 7 = 63$ +9
$9 \times 8 = 72$ +9
$9 \times 9 = 81$ +9

곱이 9씩 커져요.

[답] ❶ 21 ❷ 45

핵심 체크

1

7×2   7×3

7×3은 7×2보다
(3 , 7)만큼 더 큽니다.

2

구슬은 모두
($7 \times 3 = 21$, $9 \times 3 = 27$)(개)입니다.

11 | 단 곱셈구구, 0의 곱

○ | 단 곱셈구구

×	1	2	3	4	5	6	7	8	9
1	1	2	3	4	❶	6	7	8	9

$$| \times (어떤 수) = (어떤 수)$$

○ 0의 곱

×	1	2	3	4	5	6	7	8	9
0	0	0	0	0	0	0	0	0	❷

$$0 \times (어떤 수) = 0, \ (어떤 수) \times 0 = 0$$

0에 어떤 수를 곱해도 0이에요.

[답] ❶ 5 ❷ 0

핵심 체크

1

봉지 4개에 들어 있는 수박은
(1×4=4 , 0×4=4)(개)입니다.

2
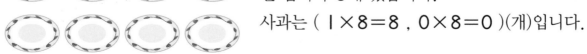

빈 접시가 8개 있습니다.
사과는 (1×8=8 , 0×8=0)(개)입니다.

12 곱셈표 알아보기

● 곱셈표

×	0	1	2	3	4	5	6	7	8	9
0	0	0	0	0	0	0	0	0	0	0
1	0	1	2	3	4	5	6	7	8	9
2	0	2	4	6	8	10	12	14	16	18
3	0	3	6	9	12	15	18	21	24	27
4	0	4	8	12	16	20	24	28	32	36
5	0	5	10	15	20	25	30	35	40	45
6	0	6	12	18	24	30	36	42	48	54
7	0	7	14	21	28	35	42	49	56	63
8	0	8	16	24	32	40	48	56	64	72
9	0	9	18	27	36	45	54	63	72	81

곱셈표를
완성했어요.

- 2단 곱셈구구에서는 곱이 2씩 커지고, 3단 곱셈구구에서는 곱이 ^❶[ ]씩 커집니다.
- 7씩 커지는 곱셈구구는 7단입니다.
- 곱하는 두 수의 순서를 바꿔도 곱은 같습니다.
➡ 3×8과 8×3의 곱은 ^❷[ ]로 같습니다.

[답] ❶ 3 ❷ 24

핵심체크

1 5단 곱셈구구에서는 곱이 (3 , 5)씩 커집니다.

곱하는 두 수의
순서를 바꿔도 곱은
같아요.

2 2×5와 5×2의 곱은 (같습니다 , 같지 않습니다).

[01~16] ☐ 안에 알맞은 수를 써넣으시오.

01 $2 \times 1 = \boxed{}$

02 $2 \times 3 = \boxed{}$

03 $2 \times 6 = \boxed{}$

04 $2 \times 8 = \boxed{}$

05 $5 \times 2 = \boxed{}$

06 $5 \times 4 = \boxed{}$

07 $5 \times 5 = \boxed{}$

08 $5 \times 7 = \boxed{}$

09 $3 \times 0 =$ ☐

10 $3 \times 3 =$ ☐

11 $3 \times 7 =$ ☐

12 $3 \times 9 =$ ☐

13 $6 \times 1 =$ ☐

14 $6 \times 4 =$ ☐

15 $6 \times 5 =$ ☐

16 $6 \times 9 =$ ☐

집중 연습

[17~32] □ 안에 알맞은 수를 써넣으시오.

17 $4 \times 2 = \square$

18 $4 \times 4 = \square$

19 $4 \times 5 = \square$

20 $4 \times 7 = \square$

21 $8 \times 3 = \square$

22 $8 \times 4 = \square$

23 $8 \times 5 = \square$

24 $8 \times 8 = \square$

25 $7 \times 2 =$

26 $7 \times 4 =$

27 $7 \times 5 =$

28 $7 \times 7 =$

29 $9 \times 1 =$

30 $9 \times 4 =$

31 $9 \times 6 =$

32 $9 \times 9 =$

13 I m 알아보기

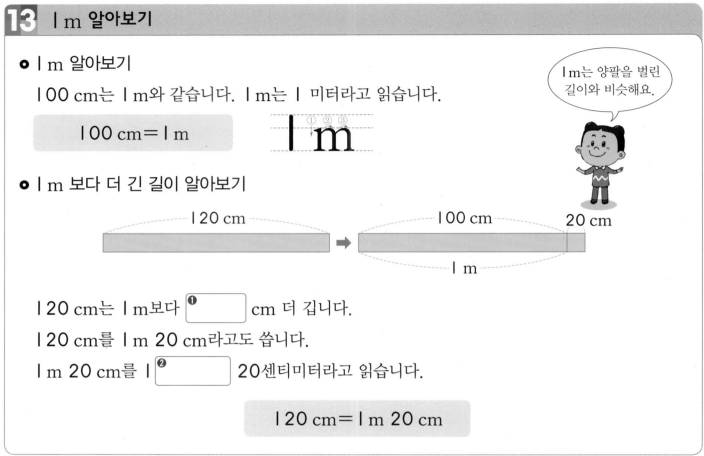

○ I m 알아보기

I00 cm는 I m와 같습니다. I m는 I 미터라고 읽습니다.

I00 cm＝I m

○ I m 보다 더 긴 길이 알아보기

I20 cm는 I m보다 [❶   ] cm 더 깁니다.

I20 cm를 I m 20 cm라고도 씁니다.

I m 20 cm를 I[❷   ] 20센티미터라고 읽습니다.

I20 cm＝I m 20 cm

[답] ❶ 20 ❷ 미터

핵심체크

1 I m는 (I00 m , I00 cm)와 같습니다.

2 m는 (200 m , 200 cm)와 같습니다.

340 cm는 3 m보다 40 cm 더 길어요.

2 340 cm는 (3 m 4 cm , 3 m 40 cm)와 같습니다.

403 cm는 (4 m 3 cm , 4 m 30 cm)와 같습니다.

14 자로 길이 재기

○ 줄자를 사용하여 길이를 재는 방법

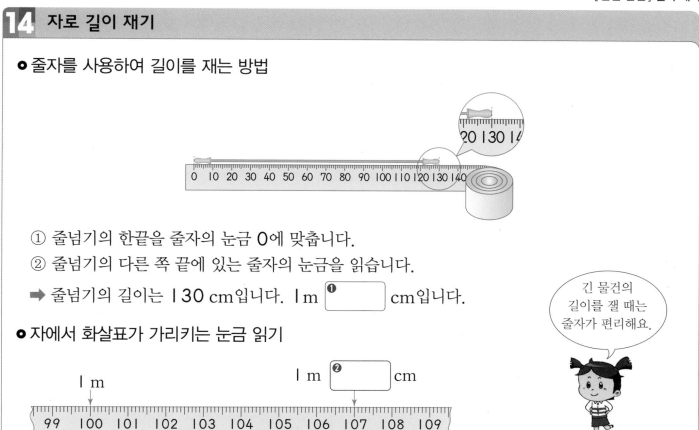

① 줄넘기의 한끝을 줄자의 눈금 0에 맞춥니다.

② 줄넘기의 다른 쪽 끝에 있는 줄자의 눈금을 읽습니다.

➡ 줄넘기의 길이는 130 cm입니다. 1m ❶[   ]cm입니다.

긴 물건의 길이를 잴 때는 줄자가 편리해요.

○ 자에서 화살표가 가리키는 눈금 읽기

1 m   1 m ❷[   ]cm

```
99  100  101  102  103  104  105  106  107  108  109
```

[답] ❶ 30 ❷ 7

핵심체크

1

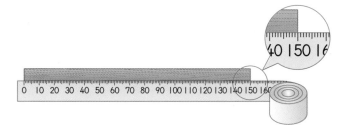

막대의 길이는
(1m 5 cm , 1m 50 cm)입니다.

2

막대의 길이는
(2 m 45 cm , 24 m 5 cm)입니다.

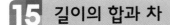

15 길이의 합과 차

○ **2 m 70 cm와 1 m 20 cm의 합과 차**

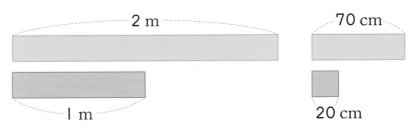

두 길이의 합	두 길이의 차
① 단위를 나누어 더하기 2 m 70 cm + 1 m 20 cm = (2 m + 1 m) + (70 cm + 20 cm) = 3 m 90 cm	① 단위를 나누어 빼기 2 m 70 cm − 1 m 20 cm = (2 m − 1 m) + (70 cm − 20 cm) = 1 m 50 cm

② 세로로 더하기
 	
    2 m   70 cm
+ 1 m   20 cm
────────
❶☐ m   90 cm
	② 세로로 빼기
	
	    2 m 70 cm
	− 1 m 20 cm
	────────
	  1 m ❷☐ cm

[답] ❶ 3 ❷ 50

핵심 체크

1   5 m 35 cm + 2 m 20 cm = 7 m 55 cm입니다. (○ , ×)

2   8 m 50 cm − 3 m 40 cm = 5 m 90 cm입니다. (○ , ×)

m는 m끼리,
cm는 cm끼리
계산해요.

16 길이를 어림하기

○ 몸의 일부를 이용해서 어림하기

① 약 2걸음이 1 m이므로 4걸음은 약 [❶] m입니다.

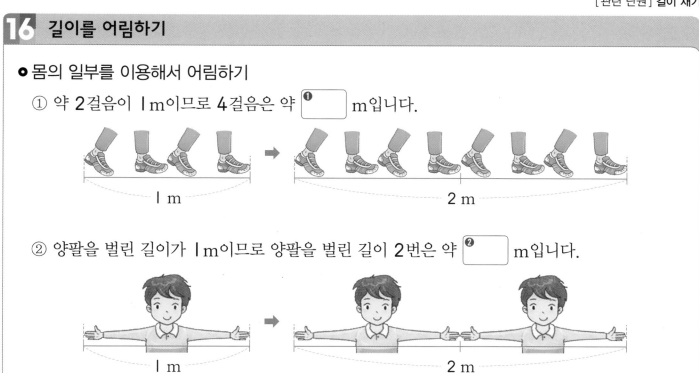

② 양팔을 벌린 길이가 1 m이므로 양팔을 벌린 길이 2번은 약 [❷] m입니다.

[답] ❶ 2 ❷ 2

핵심체크

1

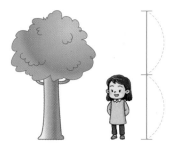

소진이의 키가 1 m일 때
나무의 높이는 약 (2 , 3) m입니다.

2

준호가 양팔을 벌린 길이는 1 m일 때
칠판의 긴 쪽의 길이는 (2 , 4) m입니다.

집중 연습

[01~08] ☐ 안에 알맞은 수를 써넣으시오.

01 1 m = ☐ cm

02 3 m = ☐ cm

03 6 m 20 cm = ☐ cm

04 8 m 30 cm = ☐ cm

05 490 cm = ☐ m ☐ cm

06 530 cm = ☐ m ☐ cm

07 715 cm = ☐ m ☐ cm

08 905 cm = ☐ m ☐ cm

[09~12] 길이의 합을 구하시오.

09

	6	m	5	cm
+	2	m	45	cm

□ m □ cm

10

	16	m	4	cm
+	4	m	11	cm

□ m □ cm

11 2 m 40 cm + 5 m 30 cm
= □ m □ cm

12 1 m 10 cm + 3 m 5 cm
= □ m □ cm

[13~16] 길이의 차를 구하시오.

13

	9	m	38	cm
−	3	m	20	cm

□ m □ cm

14

	4	m	14	cm
−	1	m	2	cm

□ m □ cm

15 7 m 65 cm − 4 m 35 cm
= □ m □ cm

16 5 m 30 cm − 3 m 20 cm
= □ m □ cm

17 몇 시 몇 분 알아보기

○ 시각 알아보기

① 시계의 긴바늘이 가리키는 숫자가 1이면 5분, 2이면 10분, 3이면 15분 ……을 나타냅니다.

➡ 긴바늘이 5를 가리키므로 ❶ ☐ 분을 나타냅니다.

②  시계의 긴바늘이 가리키는 작은 눈금 한 칸은 1분을 나타냅니다.

➡ 긴바늘이 2에서 작은 눈금으로 2칸 더 갔으므로

❷ ☐ 분입니다.

[답] ❶ 25 ❷ 12

핵심체크

1

시계가 나타내는 시각은

(4시 25분 , 4시 45분)입니다.

2

시계가 나타내는 시각은

(6시 15분 , 6시 18분)입니다.

지금은 몇 시일까요?

18 여러 가지 방법으로 시각 읽기

◦ 여러 가지 방법으로 시각 읽기

① 3시 50분입니다.

② 4시가 되려면 [❶   ]분이 지나야 합니다.

➡ 3시 50분을 4시 10분 전이라고도 합니다.

◦ 2시 15분 전을 시계에 나타내기

2시 15분 전은 2시가 되려면 [❷   ]분이 지나야 하는 시각입니다.

➡ 2시 15분 전은 1시 45분과 같습니다.

1시 45분은 짧은바늘이 1과 2 사이, 긴 바늘이 9를 가리키도록 그립니다.

[답] ❶ 10 ❷ 15

핵심체크

1

2시가 되려면 (5 , 10)분이 더 지나야 합니다.
(2시 5분 전 , 1시 5분 전)입니다.

2

7시가 되려면 (10 , 15)분이 더 지나야 합니다.
(6시 15분 전 , 7시 15분 전)입니다.

몇 분이 지나야 7시인가요?

19 | 시간 알아보기

◦ | 시간 알아보기

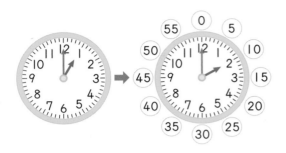

시계의 긴바늘이 한 바퀴 도는 데 60분의 시간이 걸립니다.

$$60분 = 1시간$$

◦ 걸린 시간 구하기

| 6시 | 10분 | 20분 | 30분 | 40분 | 50분 | 7시 | 10분 | 20분 | 30분 | 40분 | 50분 | 8시 |

6시부터 7시 20분까지 ❶[   ]시간 20분 걸렸습니다.

❷[   ]시간은 60분이므로 | 시간 20분은 80분과 같습니다.

[답] ❶ | ❷ |

핵심체크

1 60분은 | 시간입니다. (○ , ×)

2 90분은 60분＋30분이므로 | 시간 30분과 같습니다. (○ , ×)

90분은 (60＋30)분이에요.

20 하루의 시간과 달력 알아보기

○ 하루의 시간 알아보기

① 하루는 24시간입니다.

② 전날 밤 12시부터 낮 12시까지를 오전이라고 합니다.

　낮 12시부터 밤 12시까지를 오후라고 합니다.

○ 달력 알아보기

11월						
일	월	화	수	목	금	토
			1	2	3	4	5
6	⑦	8	9	10	11	12
13	⑭	15	16	17	18	19
20	㉑	22	23	24	25	26
27	㉘	29	30			

① 11월은 30일까지 있습니다.

② 11월의 월요일인 날짜는 7일, 14일, 21일, [❶　　]일입니다.

　같은 요일로 돌아오려면 [❷　　]일이 걸립니다.

> 같은 요일이 돌아오는 데 걸리는 시간을 1주일이라고 합니다.
> 1주일=7일

[답] ❶ 28　❷ 7

핵심체크

1 2일은 36시간입니다. (○ , ×)

2 1주일은 7일이므로 2주일은 14일입니다. (○ , ×)

1주일은 7일이에요.

[01~08] 시각을 써 보시오.

01

( )

02

( )

03

( )

04

( )

05

( )

06

( )

07

( )

08

( )

[09~16] □ 안에 알맞은 수를 써넣으시오.

09 2시간=□ 분

13 2일=□ 시간

10 1시간 30분=□ 분

14 1일 10시간=□ 시간

11 70분=□ 시간 □ 분

15 35시간=□ 일 □ 시간

12 140분=□ 시간 □ 분

16 50시간=□ 일 □ 시간

21 자료를 보고 표로 나타내기

● 자료 〈다연이네 모둠 학생들이 좋아하는 간식〉을 보고 표로 나타내기

① 좋아하는 간식별로 학생들을 분류합니다.

② 좋아하는 간식별로 학생 수를 셉니다.

③ 표로 나타냅니다.

〈다연이네 모둠 학생들이 좋아하는 간식〉

다연	지윤	진석	은현
동규	도준	가희	시형
연우	영은	정우	주영

➡

빵	사탕	과자
다연	지윤	은현
진석	가희	동규
도준	정우	시형
연우		영은
		주영

표로 나타내면

〈다연이네 모둠 학생들이 좋아하는 간식별 학생 수〉

간식	빵	사탕	과자	합계
학생 수(명)	4	3	❶	❷

입니다.

[답] ❶ 5 ❷ 12

핵심체크

[1~2] 한솔이네 모둠 학생들이 좋아하는 운동을 조사하여 표로 나타내려고 합니다.

〈한솔이네 모둠 학생들이 좋아하는 운동〉

이름	운동	이름	운동	이름	운동
한솔	축구	성민	농구	정훈	야구
다연	농구	주아	농구	진서	축구
민선	야구	현수	야구	형주	야구

〈한솔이네 모둠 학생들이 좋아하는 운동별 학생 수〉

운동	축구	농구	야구	합계
학생 수 (명)				

1 농구를 좋아하는 학생은 다연, 성민, 주아입니다. (○ , ×)

2 야구를 좋아하는 학생을 세면서 표시하면 (⟋⟋⟋⟋ , ⟋⟋⟋⟋)이고, (4 , 5)명입니다.

22 그래프로 나타내기

● 그래프를 그리는 순서

① 가로와 세로에 어떤 것을 나타낼지 정하기

② 가로와 세로를 각각 몇 칸으로 할지 정하기

③ 그래프에 ○, ✕, / 중 하나를 선택하여 자료만큼 나타내기

예 〈모둠 학생들이 좋아하는 과일별 학생 수〉

과일	사과	감	배	합계
학생 수(명)	2	3	1	6

〈모둠 학생들이 좋아하는 과일별 학생 수〉

3		○	
2	○	○	
1	○	○	○
학생 수(명) ❶	사과	❷	배

○를 아래부터
1칸에 하나씩
채워요.

[답] ❶ 과일 ❷ 감

핵심체크

[1~2] 다음 표를 보고 ○를 이용하여 그래프로 나타내려고 합니다.

〈좋아하는 간식별 학생 수〉

간식	주스	과자	사탕	합계
학생 수(명)	2	3	2	7

〈좋아하는 간식별 학생 수〉

3			
2	○		
1	○		
학생 수(명) / 간식	주스	과자	사탕

1 가로에 간식을 나타내고 세로에 학생 수를 나타냈습니다. (○ , ✕)

2 과자에는 ○를 2개, 사탕에는 ○를 3개 그립니다. (○ , ✕)

23 표와 그래프 내용을 알아보기

○ 표의 내용 알아보기

〈선영이가 한 달 동안 읽은 책 종류별 책의 수〉

종류	위인전	만화책	과학책	동화책	합계
책의 수(권)	6	3	4	5	18

➡ 선영이가 한 달 동안 가장 많이 읽은 책의 종류는 위인전입니다.

선영이가 한 달 동안 읽은 책은 모두 ❶ [   ] 권입니다.

○ 그래프의 내용 알아보기

〈진우네 모둠 학생들이 좋아하는 꽃별 학생 수〉

3		○	
2	○	○	○
1	○	○	○
학생 수(명) \ 꽃	튤립	장미	진달래

> 진달래를 좋아하는 학생은 두 명이에요.

➡ 가장 많은 학생들이 좋아하는 꽃은 ❷ [   ] 입니다.

[답] ❶ 18 ❷ 장미

핵심 체크

[1~2] 모둠 학생들이 좋아하는 색깔을 조사하여 그래프로 나타낸 것입니다.

〈모둠 학생들이 좋아하는 색깔별 학생 수〉

색깔	빨강	노랑	초록	파랑	합계
학생 수(명)	1	3	2	3	

〈모둠 학생들이 좋아하는 색깔별 학생 수〉

3		○		○
2		○	○	○
1	○	○	○	○
학생 수(명) \ 색깔	빨강	노랑	초록	파랑

1 조사한 학생은 모두 9명입니다. (○ , ×)

2 가장 많은 학생들이 좋아하는 색깔은 빨강입니다. (○ , ×)

24 표와 그래프로 나타내면 편리한 점 알아보기

ㅇ자료를 표로 나타내면 편리한 점

〈지우네 모둠 학생들이 좋아하는 날씨별 학생 수〉

날씨	맑음	흐림	비	눈	합계
학생 수(명)	3	1	2	4	10

• 항목별 응답한 사람의 수를 한눈에 알 수 있습니다.

➡ 맑은 날씨를 좋아하는 학생은 3명, 흐린 날씨를 좋아하는 학생은 **❶**[　]명,

비가 오는 날씨를 좋아하는 학생은 2명, 눈이 오는 날씨를 좋아하는 학생은 4명입니다.

• 합계를 쉽게 알 수 있습니다.

➡ 조사한 학생은 모두 10명입니다.

ㅇ자료를 그래프로 나타내면 편리한 점

〈지우네 모둠 학생들이 좋아하는 날씨별 학생 수〉

4				○
3	○			○
2	○		○	○
1	○	○	○	○
학생 수(명) \ 날씨	맑음	흐림	비	눈

가장 많은 것과 가장 적은 것을 한눈에 알아볼 수 있어요.

• 가장 많은 것과 가장 적은 것을 한눈에 알아보기 편리합니다.

➡ 가장 많은 학생들이 좋아하는 날씨는 **❷**[　]이 오는 날씨입니다.

가장 적은 학생들이 좋아하는 날씨는 흐린 날씨입니다.

[답] ❶ 1 ❷ 눈

핵심체크

1 표는 조사한 자료의 전체 수를 알아보기 편리합니다. (○ , ×)

2 그래프는 가장 많은 것과 가장 적은 것을 한눈에 알아보기 편리합니다. (○ , ×)

[01~04] 유진이네 반 학생들이 좋아하는 것을 조사하여 나타낸 것입니다. 표를 완성하시오.

01 좋아하는 계절

이름	계절	이름	계절	이름	계절
유진	봄	규진	여름	윤재	겨울
지현	겨울	세훈	가을	혜지	가을
문희	겨울	우재	봄	찬규	봄
서준	여름	종인	봄	수연	가을

〈좋아하는 계절별 학생 수〉

계절	봄	여름	가을	겨울	합계
학생 수 (명)					

02 좋아하는 운동

이름	운동	이름	운동	이름	운동
유진	배구	규진	체조	윤재	축구
지현	농구	세훈	축구	혜지	축구
문희	축구	우재	체조	찬규	배구
서준	체조	종인	축구	수연	농구

〈좋아하는 운동별 학생 수〉

운동	배구	농구	축구	체조	합계
학생 수 (명)					

03 좋아하는 꽃

이름	꽃	이름	꽃	이름	꽃
유진	장미	규진	국화	윤재	국화
지현	장미	세훈	튤립	혜지	장미
문희	튤립	우재	수국	찬규	수국
서준	튤립	종인	장미	수연	튤립

〈좋아하는 꽃별 학생 수〉

꽃	장미	국화	튤립	수국	합계
학생 수 (명)					

04 좋아하는 동물

이름	동물	이름	동물	이름	동물
유진	곰	규진	토끼	윤재	사자
지현	토끼	세훈	사자	혜지	곰
문희	곰	우재	물개	찬규	토끼
서준	물개	종인	곰	수연	곰

〈좋아하는 동물별 학생 수〉

동물	곰	토끼	물개	사자	합계
학생 수 (명)					

[05~06] 연지네 반 학생들이 좋아하는 것을 조사하여 그래프로 나타냈습니다. 그래프를 보고 표로 나타내시오.

05

연지네 반 학생들이 좋아하는 과일별 학생 수

학생 수(명) \ 과일	사과	귤	포도	감	배
5			○		
4		○	○	○	
3	○	○	○	○	
2	○	○	○	○	○
1	○	○	○	○	○

〈연지네 반 학생들이 좋아하는 과일별 학생 수〉

과일	사과	귤	포도	감	배	합계
학생 수(명)						

06

연지네 반 학생들이 좋아하는 색깔별 학생 수

학생 수(명) \ 색깔	빨강	노랑	초록	파랑	검정
5		○			
4	○	○	○	○	
3	○	○	○	○	
2	○	○	○	○	
1	○	○	○	○	○

〈연지네 반 학생들이 좋아하는 색깔별 학생 수〉

색깔	빨강	노랑	초록	파랑	검정	합계
학생 수(명)						

25 덧셈표에서 규칙 찾기

● 덧셈표의 빈칸에 알맞은 수 쓰기

+	1	3	5
1	2	■	6
3	4	6	●
5	6	8	10

두 수의 합을 이용해요.

(1) ■에 들어갈 수는 1과 3을 더한 **4**입니다.

(2) ●에 들어갈 수는 [❶   ]입니다.

● 덧셈표에서 규칙 찾아보기

+	0	1	2	3	4	5
0	0	1	2	3	4	5
1	1	2	3	4	5	6
2	2	3	4	5	6	7
3	3	4	5	6	7	8
4	4	5	6	7	8	9
5	5	6	7	8	9	10

(1) ▨▨▨으로 칠해진 수는
오른쪽으로 갈수록 1씩 커집니다.

(2) ▨▨▨으로 칠해진 수는
아래쪽으로 갈수록 1씩 커집니다.

(3) ▨▨▨으로 칠해진 수는
↘ 방향으로 갈수록 [❷   ]씩 커집니다.

[답] ❶ 8 ❷ 2

핵심 체크

[1~2] 덧셈표를 보고 물음에 답하시오.

+	2	4	6	8
2	4	6	8	10
4	6	8	10	12
6	8	10	12	14
8	10	12	14	16

1 ▨▨▨으로 칠해진 수는 오른쪽으로 갈수록 (2 , 4)씩 커집니다.

2 ▨▨▨으로 칠해진 수는 아래쪽으로 갈수록 2씩 (커집니다 , 작아집니다).

26 곱셈표에서 규칙 찾기

◉ 곱셈표의 빈칸에 알맞은 수 쓰기

×	1	3	5
1	1	3	■
3	3	9	15
5	5	●	25

(1) ■에 들어갈 수는 1과 5를 곱한 5입니다.

(2) ●에 들어갈 수는 [❶]입니다.

두 수의 곱을 이용해요.

◉ 곱셈표에서 규칙 찾아보기

×	1	2	3	4	5	6
1	1	2	3	4	5	6
2	2	4	6	8	10	12
3	3	6	9	12	15	18
4	4	8	12	16	20	24
5	5	10	15	20	25	30
6	6	12	18	24	30	36

(1) ▨으로 칠해진 수는 오른쪽으로 갈수록 2씩 커집니다.

(2) ▨으로 칠해진 수는 아래쪽으로 갈수록 [❷]씩 커집니다.

(3) ----- 점선을 따라 곱셈표를 접었을 때 만나는 수는 서로 같습니다.

[답] ❶ 15 ❷ 3

핵심 체크

[1~2] 곱셈표를 보고 물음에 답하시오.

×	2	4	6	8
2	4	8	12	16
4	8	16	24	32
6	12	24	36	48
8	16	32	48	64

1 곱셈표의 수에 있는 수는 모두 (짝수 , 홀수)입니다.

2 ▨으로 칠해진 수는 오른쪽으로 갈수록 (4 , 8)씩 커집니다.

27 무늬에서 규칙 찾기

○ **규칙을 찾아 무늬 완성하기**

(1)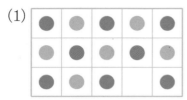

●, ●가 반복되는 규칙입니다.
따라서 빈칸에 알맞은 모양은 ●입니다.

(2)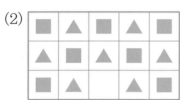

■, ▲가 반복되는 규칙입니다.
따라서 빈칸에 알맞은 모양은 ❶☐입니다.

○ **구슬을 끼우는 규칙 알아보기**

빨간색 구슬과 파란색 구슬이 반복되고 파란색 구슬의 수가 ❷☐개씩 커집니다.
규칙에 맞게 계속해서 구슬을 실에 끼운다면 다음에는 파란색 구슬을 끼워야 합니다.

[답] ❶ ■ ❷ 1

핵심체크

[1~2] 어떤 규칙에 따라 만들어진 무늬입니다.

1 ㉠에 알맞은 그림은 (꽃 , 나비)입니다.

예쁜 무늬를 만들었어요!

2 ㉡에 알맞은 그림은 (꽃 , 나비)입니다.

28 쌓은 모양에서 규칙 찾기

ㅇ 쌓은 모양을 보고 규칙 찾기

(1)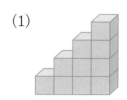

⑩ 쌓기나무가 왼쪽부터 1층씩 늘어납니다.

⑩ 쌓기나무가 아래층부터 ❶ 개씩 줄어듭니다.

어떤 규칙이 있을까요?

(2)

⑩ 쌓기나무가 1층, 2층이 반복됩니다.

⑩ 모양을 이어서 쌓았습니다.

ㅇ 다음에 이어질 모양 찾기

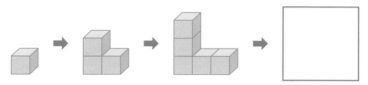

쌓기나무가 오른쪽에 1개, 위쪽에 1개씩 늘어납니다

따라서 다음에 이어질 모양의 쌓기나무는 모두 ❷ 개입니다.

[답] ❶ 1 　❷ 7

핵심 체크

[1~2] 어떤 규칙에 따라 쌓기나무를 쌓은 것입니다.

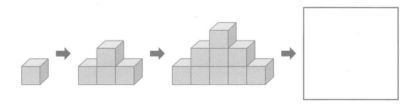

1 　다음에 이어질 모양은 1층에 쌓기나무가 (6 , 7)개 있습니다.

2 　다음에 이어질 모양은 3층에 쌓기나무가 (1 , 3)개 있습니다.

집중 연습

[01~06] ▨ 으로 칠해진 수의 규칙을 찾아 □ 안에 알맞은 수를 써넣으시오.

01

+	1	3	5	7
1	2	4	6	8
3	4	6	8	10
5	6	8	10	12
7	8	10	12	14

아래쪽으로 갈수록 □ 씩 커집니다.

02

+	0	2	4	6
0	0	2	4	6
2	2	4	6	8
4	4	6	8	10
6	6	8	10	12

↘ 방향으로 갈수록 □ 씩 커집니다.

03

+	2	4	6	8
3	5	7	9	11
5	7	9	11	13
7	9	11	13	15
9	11	13	15	17

오른쪽으로 갈수록 □ 씩 커집니다.

04

×	1	3	5	7
1	1	3	5	7
3	3	9	15	21
5	5	15	25	35
7	7	21	35	49

아래쪽으로 갈수록 □ 씩 커집니다.

05

×	3	4	5	6
3	9	12	15	18
4	12	16	20	24
5	15	20	25	30
6	18	24	30	36

오른쪽으로 갈수록 □ 씩 커집니다.

06

×	2	4	6	8
2	4	8	12	16
4	8	16	24	32
6	12	24	36	48
8	16	32	48	64

오른쪽으로 갈수록 □ 씩 커집니다.

[07~14] 규칙을 찾아 빈칸에 알맞은 모양을 그리고 색칠하시오.

07

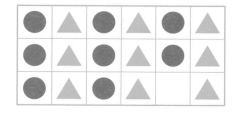

11

08

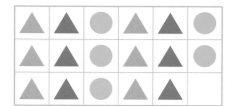

12

09

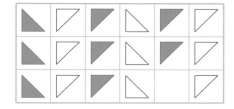

13

10

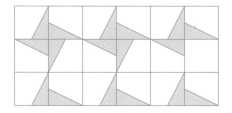

14

2쪽
1 1000에 ○표
2 천에 ○표

3쪽
1 2에 ○표, 이천에 ○표
2 7000에 ○표

4쪽
1 4237에 ○표
2 육천삼백칠에 ○표

5쪽
1 300에 ○표
2 천에 ○표

6쪽
1 천에 ○표, 1000에 ○표
2 10에 ○표

7쪽
1 크므로에 ○표, 큽니다에 ○표
2 백에 ○표, 큽니다에 ○표

8쪽
01 삼천팔백이십
02 천삼백구십사
03 사천사백구십이
04 육천삼백사
05 칠천이백구십일
06 오천칠백팔십삼
07 이천칠백오십구
08 팔천사백일

9쪽
09 4271
10 8564
11 6537
12 5338
13 1154
14 5403
15 9065
16 3005

10쪽
17 200
18 4000
19 30
20 9
21 6000
11 1300
23 5050
24 5100

11쪽
25 <
26 >
27 >
28 >
29 >
30 <
31 >
32 >

12쪽
1 2×5=10에 ○표
2 5×3=15에 ○표

13쪽
1 3×4=12에 ○표
2 6×3=18에 ○표

14쪽
1 4×6=24에 ○표
2 8×4=32에 ○표

15쪽
1 7에 ○표
2 9×3=27에 ○표

16쪽
1 1×4＝4에 ◯표
2 0×8＝0에 ◯표

17쪽
1 5에 ◯표
2 같습니다에 ◯표

18쪽
01 2
02 6
03 12
04 16
05 10
06 20
07 25
08 35

19쪽
09 0
10 9
11 21
12 27
13 6
14 24
15 30
16 54

20쪽
17 8
18 16
19 20
20 28
21 24
22 32
23 40
24 64

21쪽
25 14
26 28
27 35
28 49
29 9
30 36
31 54
32 81

22쪽
1 100 cm에 ◯표,
   200 cm에 ◯표
2 3 m 40 cm에 ◯표,
   4 m 3 cm에 ◯표

23쪽
1 1 m 50 cm에 ◯표
2 2 m 45 cm에 ◯표

24쪽
1 ◯에 ◯표
2 ×에 ◯표

25쪽
1 2에 ◯표
2 4에 ◯표

26쪽
01 100
02 300
03 620
04 830
05 4, 90
06 5, 30
07 7, 15
08 9, 5

27쪽
09 8, 50
10 20, 15
11 7, 70
12 4, 15
13 6, 18
14 3, 12
15 3, 30
16 2, 10

28쪽
1 4시 45분에 ◯표
2 6시 18분에 ◯표

29쪽
1 5에 ◯표, 2시 5분 전에 ◯표
2 15에 ◯표, 7시 15분 전에 ◯표

30쪽
1 ◯에 ◯표
2 ◯에 ◯표

31쪽
1 ✕에 ○표
2 ○에 ○표

32쪽
01 1시 20분 05 9시 37분
02 3시 40분 06 7시 47분
03 6시 50분 07 10시 8분
04 8시 15분 08 7시 23분

33쪽
09 120 13 48
10 90 14 34
11 1, 10 15 1, 11
12 2, 20 16 2, 2

34쪽
1 ○에 ○표
2 /////에 ○표, 4에 ○표

35쪽
1 ○에 ○표
2 ✕에 ○표

36쪽
1 ○에 ○표
2 ✕에 ○표

37쪽
1 ○에 ○표
2 ○에 ○표

38쪽
01 4, 2, 3, 3, 12
02 2, 2, 5, 3, 12
03 4, 2, 4, 2, 12
04 5, 3, 2, 2, 12

39쪽
05 3, 4, 5, 4, 2, 18
06 4, 5, 4, 4, 1, 18

40쪽
1 2에 ○표
2 커집니다에 ○표

41쪽
1 짝수에 ○표
2 8에 ○표

42쪽
1 꽃에 ○표
2 나비에 ○표

43쪽
1 7에 ○표
2 3에 ○표

44쪽
01 2 04 6
02 4 05 5
03 2 06 8

45쪽
07 ● 11 ▢
08 ● 12 ♥
09 ◤ 13 ▢
10 ◸ 14 ⬆

우리 아이만
알고 싶은
상위권의
시작

최고를
경험해 본 아이의 성취감은
학년이 오를수록
빛을 발합니다

완 성

최고수준

초등수학

5-2

문제

* 1~6학년 / 학기 별 출시
동영상 강의 제공

핵심개념
유형연습
탄탄하게!

학교 시험, 걱정 없이 든든하게!

수학 단원평가

수행평가 완벽 대비

쪽지 시험, 단원평가, 서술형 평가 등
학교에서 시행하는 다양한 수행평가에
완벽 대비 가능한 최신 경향의 문제 수록

난이도별 문제 수록

A, B, C 세 단계 난이도의 단원평가로
나의 수준에 맞게 실력을 점검하고
부족한 부분을 빠르게 보충 가능

확실한 개념 정리

수학은 개념이 생명!
기본 개념 문제로 구성된 쪽지 시험과
단원평가 5회분으로 확실한 단원 마무리

다양해진 학교 시험,
한 권으로 끝내자!
(초등 1~6학년 / 학기별)

꿈을 위한 동행

축구 선수, 래퍼, 선생님, 요리사, …
배움을 통해 아이들은 꿈을 꿉니다.

학교에서 공부하고, 뛰어놀고 싶은 마음을
잠시 미뤄 둔 친구들이 있습니다.
어린이 병동에 입원해 있는 아이들.

이 아이들도 똑같이 공부하고
맘껏 꿈 꿀 수 있어야 합니다.
천재교육 학습봉사단은
직접 병원으로 찾아가
같이 공부하고 얘기를 나눕니다.

함께 하는 시간이
아이들이 꿈을 키우는 밑바탕이 되길 바라며
천재교육은 앞으로도
나눔을 실천하며 세상과 소통하겠습니다.

천재교육

초등생의 필수 학습!
탄탄하게 다져두자!

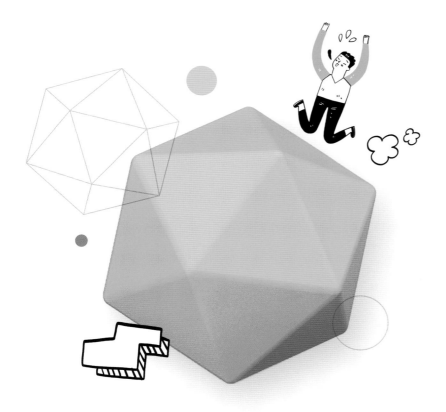

수학
전략

초등 **수학**

정답 및 풀이

2·2

천재교육

모르는 문제는
확실하게
알고 가자!

정답 및 풀이

초등 수학 **2-2**

정답 및 풀이

개념 돌파 전략❶ 개념 기초 확인　9, 11쪽

1-1 1000, 천　　　　1-2 5000, 오천
2-1 8260, 8270　　2-2 3600, 3700
3-1 >　　　　　　3-2 <
4-1 6, 6　　　　　4-2 20, 20
5-1 예 , 6, 12
5-2 예 , 3, 15
6-1 2　　　　　　6-2 0

1-2 천 모형이 5개이므로 5000이라고 쓰고, 오천이라고 읽습니다.

2-2 3200부터 100씩 뛰어 세면 백의 자리 수가 1씩 커집니다.

3-2 1140과 1320의 천 모형의 수가 같으므로 백 모형의 수를 비교하면 1이 3보다 작습니다. ⇨ 1140<1320

4-2 귤이 5개씩 4묶음이므로 5를 4번 더한 값이고, 5×4로 나타낼 수 있습니다.

5-2 5개씩 묶으면 3묶음이 되므로 5×3=15 입니다.

6-2 어항에 금붕어가 하나도 없으므로 금붕어의 수는 0×5=0으로 나타낼 수 있습니다.

개념 돌파 전략❷　12~13쪽

1 4, 5, 7
2 5860, 5880, 5910
3 1200, 1110
4 (1) 3, 9　(2) 5, 15
5 (1) 2, 16　(2) 4, 32
6 8, 56

1 3457을 수 모형으로 나타내면 천 모형이 3개, 백 모형이 4개, 십 모형이 5개, 일 모형이 7개입니다. 따라서 1000이 3개, 100이 4개, 10이 5개, 1이 7개인 수입니다.

2 5850부터 10씩 뛰어 세면 십의 자리 수가 1씩 커집니다.

3 왼쪽 수 모형은 1200을 나타내고, 오른쪽 수 모형은 1110을 나타냅니다. 1200과 1110 중 큰 수를 앞에 써서 문장을 완성하면 '1200은 1110보다 큽니다.'입니다.

4 (1) 구슬이 3개씩 3묶음입니다.
　　⇨ 3×3=9
　(2) 구슬이 3개씩 5묶음입니다.
　　⇨ 3×5=15

5 (1) 복숭아가 8개씩 2묶음입니다.
　　⇨ 8×2=16
　(2) 복숭아가 8개씩 4묶음입니다.
　　⇨ 8×4=32

6 만두가 7개씩 8묶음입니다.
　⇨ 7×8=56

필수 **예제 01** 8325, 팔천삼백이십오

확인 1-1 2307, 이천삼백칠

확인 1-2 4050, 사천오십

필수 **예제 02** 2000, 400

확인 2-1 백, 900   **확인 2-2** 일, 8

필수 **예제 03**

, 42

확인 3-1

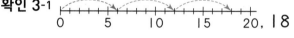

0   5   10   15   20, 18

확인 3-2

0   5   10   15   20, 20

필수 **예제 04** ㉡

확인 4-1 2×6에 ○표

확인 4-2 8×3에 ○표

확인 1-1 천 모형이 2개, 백 모형이 3개, 일 모형이 7개이므로 2307입니다.
2307은 '이천삼백칠'이라고 읽습니다.
십 모형은 없으므로 십의 자리에는 0을 씁니다.

확인 1-2 1000이 4개, 10이 5개이므로 4050입니다.
4050은 '사천오십'이라고 읽습니다.
100과 1은 없으므로 백과 일의 자리에는 0을 씁니다.

확인 2-1 숫자 9는 백의 자리 숫자이고, 100이 9개이므로 900을 나타냅니다.

확인 2-2 숫자 8은 일의 자리 숫자이고, 1이 8개이므로 8을 나타냅니다.

확인 3-1 6씩 3번 뛰어 센 것이므로
$6×3=6+6+6=18$입니다.
참고
6씩 3번 뛰어야 하므로 화살표 끝이 6, 12, 18을 가리키도록 그립니다.

확인 3-2 4씩 5번 뛰어 센 것이므로
$4×5=4+4+4+4+4=20$입니다.
참고
4씩 5번 뛰어야 하므로 화살표 끝이 4, 8, 12, 16, 20을 가리키도록 그립니다.

확인 4-1 $4×3=12$입니다.
$5×4=20$, $2×6=12$,
$6×3=18$, $7×2=14$이므로
2×6에 ○표 합니다.

확인 4-2 $6×4=24$입니다.
$2×9=18$, $4×7=28$,
$5×8=40$, $8×3=24$이므로
8×3에 ○표 합니다.

1 (위에서부터) 2, 800 ; 800

2 6472, 육천사백칠십이

3 (1) 5000　(2) 0

4

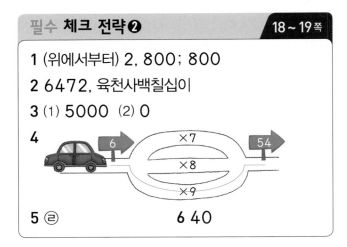

5 ㄹ　　　　　　　　6 40

---

1 9827에서 9는 9000, 8은 800, 2는
20, 7은 7을 나타냅니다.
⇨ 9827＝9000＋800＋20＋7

2 1000이 6개이면 천의 자리 숫자는 6,
100이 4개이면 백의 자리 숫자는 4,
10이 7개이면 십의 자리 숫자는 7,
1이 2개이면 일의 자리 숫자는 2이므로
6472입니다.
6472는 '육천사백칠십이'라고 읽습니다.

3 (1) 밑줄 친 숫자 5는 천의 자리이므로
5000을 나타냅니다.
(2) 0은 어느 자리에 있든지 0을 나타냅니다.

> **참고**
> 같은 숫자라도 어느 자리에 있느냐에 따라 나
> 타내는 수가 달라집니다.
> (1) 5562에서 천의 자리 숫자 5는 5000을
> 나타내고, 백의 자리 숫자 5는 500을 나
> 타냅니다.

4 $6×7=42$, $6×8=48$, $6×9=54$이
므로 '×9'를 잇습니다.

5 ㄹ $7×3=21$

6 5 cm씩 8개이므로 쌓기나무 8개의 길이
는 $5×8=40$ (cm)입니다.

필수 예제 01 2330, 2340, 2350 ; 10

확인 1-1 3904, 3914, 3944

확인 1-2 1926, 2026, 2326

필수 예제 02 (위에서부터) 3, 9, 0 ; ＞

확인 2-1 (1) ＞　(2) ＜

확인 2-2 (1) ＜　(2) ＞

필수 예제 03 (1) 8　(2) 0

확인 3-1 2, 0　　　　**확인 3-2** 1, 0

필수 예제 04 (1)

×	5	6	9
4	20	24	36
6	30	36	54
8	40	48	72

(2)

×	2	7	8
2	4	14	16
7	14	49	56
9	18	63	72

확인 4-1

×	1	2	3	4	5	6	7	8	9
3	3	6	9	12	15	18	21	24	27
4	4	8	12	16	20	24	28	32	36
5	5	10	15	20	25	30	35	40	45
6	6	12	18	24	30	36	42	48	54

확인 1-1 3884, 3894는 10씩 뛰어 센 것이
고, 3924, 3934도 10씩 뛰어 센
것이므로 3884부터 10씩 뛰어 세
어 봅니다.

> **주의**
> 3894 다음 수를 3804 또는 3914로
> 쓰지 않도록 주의합니다.

확인 1-2 1726, 1826은 100씩 뛰어 센 것이고, 2126, 2226도 100씩 뛰어 센 것이므로 1726부터 100씩 뛰어 세어 봅니다.

주의

1926 다음 수를 1026 또는 2126으로 쓰지 않도록 주의합니다.

확인 2-1 (1) 천의 자리 수와 백의 자리 수가 같으므로 십의 자리 수를 비교하면 6280이 6231보다 큽니다.

$$6280 \enspace > \enspace 6231$$
$$8 > 3$$

(2) 천의 자리 수가 같으므로 백의 자리 수를 비교하면 2001이 2100보다 작습니다.

$$2001 \enspace < \enspace 2100$$
$$0 < 1$$

확인 2-2 (1) 천의 자리 수가 다르므로 천의 자리 수를 비교하면 7352가 9005보다 작습니다.

$$7352 \enspace < \enspace 9005$$
$$7 < 9$$

(2) 천의 자리 수가 같으므로 백의 자리 수를 비교하면 8808이 8008보다 큽니다.

$$8808 \enspace > \enspace 8008$$
$$8 > 0$$

확인 3-1 어떤 수와 1의 곱은 어떤 수이므로 $2 \times 1 = 2$입니다.
어떤 수와 0의 곱은 0이므로 $2 \times 0 = 0$입니다.

확인 3-2 9와 어떤 수의 곱이 9이므로 어떤 수는 1입니다.
9와 어떤 수의 곱이 0이므로 어떤 수는 0입니다.

확인 4-1 3단, 4단, 5단, 6단 곱셈구구를 외워 봅니다.

참고

3단 곱셈구구는 곱이 3씩 커지고,
4단 곱셈구구는 곱이 4씩 커지고,
5단 곱셈구구는 곱이 5씩 커지고,
6단 곱셈구구는 곱이 6씩 커집니다.

필수 체크 전략 ❷ · **24~25쪽**

1 (1) 1000, 100　(2) 5900
2 (위에서부터) 9008, 7988, 7988
3 ④
4 48명
5 (1)

×	2	3	4	5	6
2	4	6	8	10	12
3	6	9	12	15	18
4	8	12	16	20	24
5	10	15	20	25	30
6	12	18	24	30	36

(2) 6×4

---

1 (1) ➡ : 백의 자리 수가 1씩 커지므로 100씩 뛰어 센 것입니다.

⬇ : 천의 자리 수가 1씩 커지므로 1000씩 뛰어 센 것입니다.

(2) 5800보다 100만큼 더 큰 수인 5900입니다.
또는 4900보다 1000만큼 더 큰 수인 5900입니다.

2 • 9989와 9008의 크기 비교
➡ 천의 자리 수가 같으므로 백의 자리 수를 비교하면 9>0이므로 9989>9008입니다.
• 7988와 7990의 크기 비교
➡ 천의 자리와 백의 자리 수가 같으므로 십의 자리 수를 비교하면 8<9이므로 7988<7990입니다.
• 9008과 7988의 크기 비교
➡ 천의 자리 수가 다르므로 천의 자리 수를 비교하면 9>7이므로 9008>7988입니다.

3 ①, ②, ③, ⑤ 0, ④ 1

4 6명씩 8팀 ➡ 6×8=48(명)

5 (1) 2, 3, 4, 5, 6단 곱셈구구를 외워 봅니다.
(2) 4×6=24이므로 곱이 24가 되는 곱셈구구를 찾으면 6×4입니다.

1주 04일

교과서 대표 전략 ❶　　26~29쪽

대표 예제 01 (1) 1000 (2) 1000

대표 예제 02 지안

대표 예제 03 5000원

대표 예제 04 6040에 ○표

대표 예제 05

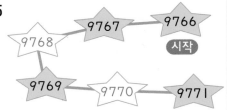

대표 예제 06 8990, 9000, 9010, 9040

대표 예제 07 2084, 2524, 3800

대표 예제 08 ㉡

대표 예제 09 20, 20

대표 예제 10

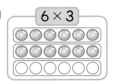
; 6

대표 예제 11 예

; 3, 18

대표 예제 12
; ╳

대표 예제 13 ㉢

대표 예제 14 42개

대표 예제 15 6, 6

대표 예제 16 40개

대표 예제 01 (1) 999보다 1만큼 더 큰 수는
1000입니다.
(2) 990보다 10만큼 더 큰 수는
1000입니다.

대표 예제 02 숫자 0은 읽지 않습니다. 따라서
2703은 '이천칠백삼'이라고 읽습
니다.
주의
이천칠백영십삼 또는 이백칠십삼이
라고 읽지 않도록 주의합니다.

대표 예제 03 1000원짜리 5장이면 5000원
입니다.

대표 예제 04 4567에서 숫자 6은 십의 자리에
있으므로 60을 나타냅니다.
6040에서 숫자 6은 천의 자리에
있으므로 6000을 나타냅니다.
650에서 숫자 6은 백의 자리에
있으므로 600을 나타냅니다.

대표 예제 05 1씩 뛰어 세면 9767 다음 수는
9768이고, 9769 다음 수는
9770입니다.

대표 예제 06 8970-8980으로 10씩 커지
고, 9020-9030으로 10씩 커
졌으므로 10씩 뛰어 셉니다.

대표 예제 07 2524, 2084는 천의 자리 수가
3800보다 작습니다.
2524와 2084의 백의 자리 수
를 비교하면 2084가 더 작으므
로 2084가 가장 작은 수입니다.

대표 예제 08 ㉠ 1000이 3개, 10이 8개, 1이
9개인 수는 3089입니다.
㉡ 삼천이백구는 3209입니다.
⇨ 3089<3209

대표 예제 09 4를 5번 더한 값은 4×5로 계산
할 수 있습니다

대표 예제 10 6×3은 6을 3번 더한 값이고,
6×2는 6을 2번 더한 값입니다.
따라서 6×3은 6×2보다 6만큼
더 큽니다.

대표 예제 11 벽돌을 6개씩 묶으면 3묶음이므
로 6×3=18로 나타낼 수 있습
니다.

대표 예제 12 2×7=14, 7×3=21,
8×4=32

대표 예제 13 ㉠ 0×9=0   ㉡ 1×3=3
㉢ 4×1=4   ㉣ 5×0=0

대표 예제 14 사탕이 7개씩 6묶음 있으므로
7×6=42(개)입니다.

대표 예제 15 곱셈에서 곱하는 두 수의 순서를
서로 바꾸어도 곱은 같습니다.

대표 예제 16 펼친 손가락은 5개씩 8묶음이므
로 5×8=40(개)입니다.

교과서 대표 전략 ❷ `30~31쪽`

1 400원

2 (   )(   )(○)

3 5300원

4 7632

5 6×4＝24, 24개

6

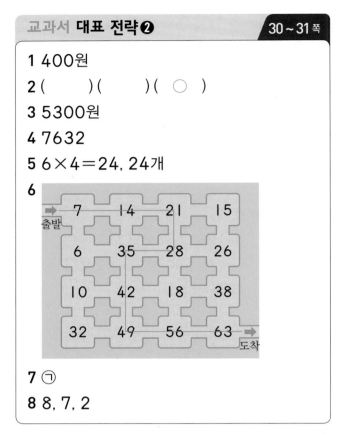

7 ㉠

8 8, 7, 2

---

1 1000원은 100원짜리 동전 10개와 같습니다.
따라서 600원에 400원이 더 있으면 1000원이 됩니다.

2 천 모형 3개는 3000, 백 모형 30개는 3000, 일 모형 300개는 300을 나타냅니다.

3 천 원짜리 지폐 5장: 5000원
백 원짜리 동전 3개: 300원 ⎤ 5300원

4 7＞6＞3＞2이므로 가장 큰 수부터 높은 자리에 차례로 쓰면 7632입니다.

5 달걀의 개수는 6개를 4번 더한 값입니다.
이것을 곱셈식으로 나타내면 6×4＝24(개)입니다.

6 7단 곱셈구구를 외워 봅니다.
곱셈구구의 값은 7씩 커집니다.

7 모형의 개수는 3씩 4묶음이므로 3＋3＋3＋3으로 3을 4번 더해서 구할 수도 있고, 3×3에 3을 더해서 구할 수도 있습니다.

8 9단 곱셈구구를 이용하여 세 수가 모두 들어가는 곱셈식을 찾습니다.

누구나 만점 전략 `32~33쪽`

01 (1) 2050 (2) 8000 (3)6400

02 100, 80

03 3804에 ○표, 6693에 △표

04 6020원, 7020원, 8020원

05 1279

06 15

07 7×3＝21, 21 cm

08 ·   ·
(선이 교차됨)

09 9, 18 ; 6, 18 ; 3, 18 ; 2, 18

10 5점

---

01 (1) 이천오십을 수로 쓰면 2050입니다.

(2) 1000이 8개인 수는 8000입니다.

(3) 1000이 6개, 100이 4개인 수는 6400입니다.

02 각 자리의 숫자가 나타내는 값을 더하는 식을 세웁니다.

03 세 수에서 3이 나타내는 값은

2310은 300, 3804는 3000, 6693은

3입니다.

따라서 3이 나타내는 값이 가장 큰 수는

3804, 가장 작은 수는 6693입니다.

참고

높은 자리에 있을수록 나타내는 값이 크므로

천의 자리에 있는 3이 가장 큰 값을 나타내

고, 일의 자리에 있는 3이 가장 작은 값을 나

타냅니다.

04 5020부터 1000씩 뛰어 세면

5020-6020-7020-8020이므로

10월에는 6020원, 11월에는 7020원,

12월에는 8020원이 됩니다.

05 1<2<7<9이므로 가장 작은 수부터 높

은 자리에 차례로 쓰면 1279입니다.

06 3씩 5번 뛰어 세었으므로

3×5=15입니다.

07 7 cm씩 3번 뛰었으므로

7×3=21(cm)입니다.

08 3×7=21, 8×2=16, 9×2=18,

4×4=16, 3×6=18, 7×3=21

09 딱지를 2개씩 묶으면 9묶음이므로

2×9=18(개)입니다.

딱지를 3개씩 묶으면 6묶음이므로

3×6=18(개)입니다.

딱지를 6개씩 묶으면 3묶음이므로

6×3=18(개)입니다.

딱지를 9개씩 묶으면 2묶음이므로

9×2=18(개)입니다.

10 0이 적힌 공이 3번 나왔으므로

0×3=0(점),

1이 적힌 공이 5번 나왔으므로

1×5=5(점)입니다.

⇨ 0+5=5(점)

1 100이 10개인 수는 1000이고 천이라

고 읽습니다.

2 6×3=18(자루)

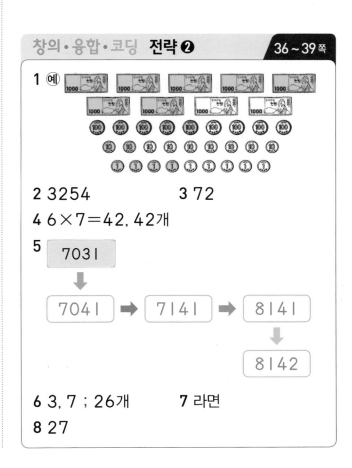

2 3254   **3** 72

4 6×7=42, 42개

6 3, 7 ; 26개   **7** 라면

8 27

1 1000원짜리 지폐 7장, 100원짜리 동전 5개, 10원짜리 동전 2개, 1원짜리 동전 4개에 색칠합니다.

2 1000이 3개, 100이 2개, 10이 5개, 1이 4개이므로 3254입니다.

3 $2 \times 1 = 2$, $2 \times 4 = 8$, $8 \times 9 = 72$입니다. 따라서 ♥에 들어갈 수는 72입니다.

4 점이 6개 그려진 카드가 7장 있으므로 카드에 그려진 점은 모두 $6 \times 7 = 42$(개)입니다.

5 7031에서 10만큼 뛰어 세면 7041, 7041에서 100만큼 뛰어 세면 7141, 7141에서 1000만큼 뛰어 세면 8141, 8141에서 1만큼 뛰어 세면 8142입니다.

6 위쪽과 아래쪽 두 부분으로 나누어 생각하면 위쪽은 $4 \times 3 = 12$(개)이고, 아래쪽은 $7 \times 2 = 14$(개)입니다.
따라서 사용한 블록은 모두 $12 + 14 = 26$(개)입니다.

7 천의 자리를 비교하면 $3 < 4 < 5$이므로 라면이 가장 쌉니다.
따라서 라면을 주문해야 합니다.

8 9단 곱셈구구의 곱은
$9 \times 1 = 9$, $9 \times 2 = 18$, $9 \times 3 = 27$,
$9 \times 4 = 36$, $9 \times 5 = 45$, $9 \times 6 = 54$,
$9 \times 7 = 63$, $9 \times 8 = 72$, $9 \times 9 = 81$
입니다.
이 중에서 $6 \times 3 = 18$보다 크고
$6 \times 5 = 30$보다 작은 수는 27입니다.

개념 돌파 전략 ❶ 개념 기초 확인 43, 45쪽

1-1 2 m , 미터

1-2 (1) 3 미터 70 센티미터
　　 (2) 6 미터 40 센티미터

2-1 100 ; 1, 4

2-2 ① 110 ② 1, 10

3-1 4, 90　　　　　**3-2** 3, 45

4-1 모둠 학생들이 좋아하는 운동별 학생 수

운동	⚽	🏀	⚾	합계
학생 수 (명)	卌 4	卌 3	卌 3	10

4-2 모둠 학생들이 좋아하는 채소별 학생 수

채소	🥒	🥕	🧅	합계
학생 수 (명)	卌 5	卌 3	卌 2	10

5-1 모둠 학생들이 좋아하는 운동별 학생 수

4	○		
3	○	○	○
2	○	○	○
1	○	○	○
학생 수 (명) / 운동	⚽	🏀	⚾

5-2 모둠 학생들이 좋아하는 채소별 학생 수

5	○		
4	○		
3	○	○	
2	○	○	○
1	○	○	○
학생 수 (명) / 채소	🥒	🥕	🧅

1-2 m는 미터, cm는 센티미터라고 읽습니다.

2-2 110 cm=1 m 10 cm

3-2 m는 m끼리, cm는 cm끼리 뺍니다.

4-2 산가지(//////)의 표시 방법을 이용하여 채소별로 수를 세어 표에 적습니다.

5-2 좋아하는 채소별 학생 수만큼 ○를 아래에서 위로 한 칸에 1개씩 빈칸 없이 그립니다.

개념 돌파 전략❷　　46~47쪽

1 7, 65	**2** 3, 35
3 2	**4** 10명
5 튤립, 5명	

1 45 cm와 20 cm의 합인 65 cm를 cm 단위에 맞춰서 쓰고, 4 m와 3 m의 합인 7 m를 m 단위에 맞춰서 씁니다.

2 75 cm에서 40 cm를 뺀 값인 35 cm를 cm 단위에 맞춰서 쓰고, 6 m에서 3 m를 뺀 값인 3 m를 m 단위에 맞춰서 씁니다.

3 걸음으로 1 m를 재어 보면 약 2걸음입니다.

4 표에서 놀이공원을 보면 10명입니다.

5 그래프에서 ○의 수가 가장 많은 꽃이 가장 많은 학생들이 좋아하는 꽃입니다.
　➪ 가장 많은 학생들이 좋아하는 꽃은 튤립이고, 5명이 좋아합니다.

 주 02 일

필수 체크 전략❶　　48~51쪽

필수 예제 01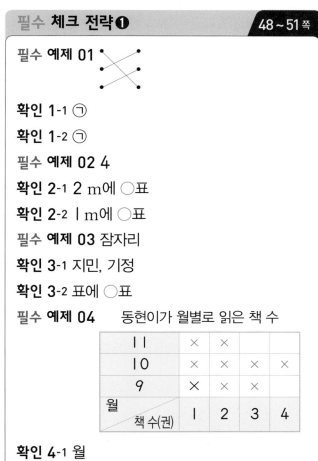

확인 1-1 ㉠

확인 1-2 ㉠

필수 예제 02 4

확인 2-1 2 m에 ○표

확인 2-2 1 m에 ○표

필수 예제 03 잠자리

확인 3-1 지민, 기정

확인 3-2 표에 ○표

필수 예제 04

동현이가 월별로 읽은 책 수

11	×	×		
10	×	×	×	×
9	×	×	×	
월 책 수(권)	1	2	3	4

확인 4-1 월

확인 4-2 책 수

확인 1-1 700 cm=7 m이므로
　㉠ 7 m 90 cm>㉡ 700 cm입니다.

확인 1-2 2 m 60 cm=260 cm이므로
　㉠ 269 cm>㉡ 2 m 60 cm
　입니다.

확인 2-1 교실 문의 높이는 어른의 키보다 높아야 하므로 약 2 m입니다.

참고

10 cm는 짧은 연필의 길이 정도이고, 10 m는 3층 건물의 높이 정도입니다.

확인 2-2 야구 방망이를 바닥에 세워 보면 어른 키의 허리나 가슴 정도까지 오므로 약 1 m입니다.

확인 3-1 사슴벌레 그림을 찾아 학생의 이름을 쓰면 지민, 기정입니다.

확인 3-2 표에서 합계를 보면 조사한 학생 수를 쉽게 알 수 있습니다.

확인 4-1 그래프에서 가로에 나타낸 것은 월, 세로에 나타낸 것은 책 수입니다.

확인 4-2 그래프에서 가로에 나타낸 것은 책 수, 세로에 나타낸 것은 월입니다.

1 (2) $855 \text{ cm} = 800 \text{ cm} + 55 \text{ cm}$
$= 8 \text{ m } 55 \text{ cm}$
(3) $6 \text{ m } 38 \text{ cm} = 600 \text{ cm} + 38 \text{ cm}$
$= 638 \text{ cm}$

2 (1) 연필의 길이는 1 m보다 짧으므로 cm 단위로 나타내기에 알맞습니다.
(2) 4층 건물의 높이는 1 m보다 높으므로 m 단위로 나타내기에 알맞습니다.

3 $128 \text{ cm} = 100 \text{ cm} + 28 \text{ cm}$
$= 1 \text{ m } 28 \text{ cm}$

4 각 전통 악기가 적힌 종이의 수를 각각 세어 표의 빈칸에 적습니다.
합계: $5 + 4 + 3 + 2 = 14$(명)

5 가로는 학생 수, 세로는 전통 악기를 나타냅니다. 각 전통 악기별 학생 수만큼 왼쪽에서 오른쪽으로 /를 그립니다.

필수 체크 전략❷ 52~53쪽

1 (1) 1 (2) 8, 55 (3) 638
2 (1) cm (2) m
3 1 m 28 cm
4 5, 4, 3, 2, 14
5

배우고 싶은 전통 악기별 학생 수

전통 악기 / 학생 수(명)	1	2	3	4	5
아쟁	/	/			
단소	/	/	/		
장구	/	/	/	/	
가야금	/	/	/	/	/

필수 체크 전략 ❶ 54~57쪽

필수 예제 01 6 m 75 cm

확인 1-1 5 m 53 cm

확인 1-2 6 m 81 cm

필수 예제 02 2 m 31 cm

확인 2-1 4 m 33 cm

확인 2-2 6 m 8 cm

필수 예제 03 15 ; 동시집, 6

확인 3-1 ×   확인 3-2 ○

필수 예제 04 햄버거, 1명

확인 4-1 ○   확인 4-2 ×

확인 1-1 2 m 15 cm＋3 m 38 cm
$\quad$ ＝(2 m＋3 m)＋(15 cm＋38 cm)
$\quad$ ＝5 m 53 cm

확인 1-2 3 m 22 cm＋3 m 59 cm
$\quad$ ＝(3 m＋3 m)＋(22 cm＋59 cm)
$\quad$ ＝6 m 81 cm

확인 2-1 5 m 60 cm－1 m 27 cm
$\quad$ ＝(5 m－1 m)＋(60 cm－27 cm)
$\quad$ ＝4 m 33 cm

확인 2-2 9 m 24 cm－3 m 16 cm
$\quad$ ＝(9 m－3 m)＋(24 cm－16 cm)
$\quad$ ＝6 m 8 cm

확인 3-1 진혁이가 읽은 책 수는 알 수 있지만 책 제목은 알 수 없습니다.

확인 3-2 진혁이가 읽은 책의 종류는 위인전, 동화책, 만화책, 동시집입니다.

확인 4-1 좋아하는 간식 종류는 피자, 햄버거, 떡볶이, 치킨입니다.

확인 4-2 피자를 좋아하는 남학생 수는 알 수 없습니다.

필수 체크 전략 ❷ 58~59쪽

1 9 m 93 cm, 7 m 85 cm

2 16 m 35 cm   3 2 m 57 cm

4 2명   5 ㉡

1 7 m 55 cm＋2 m 38 cm
$\quad$ ＝(7 m＋2 m)＋(55 cm＋38 cm)
$\quad$ ＝9 m 93 cm
$\quad$ 9 m 93 cm－2 m 8 cm
$\quad$ ＝(9 m－2 m)＋(93 cm－8 cm)
$\quad$ ＝7 m 85 cm

2 830 cm＝8 m 30 cm이므로 m 단위의 수는 모두 8로 같습니다.
따라서 cm 단위의 수의 크기를 비교하면 가장 긴 길이는 830 cm이고, 가장 짧은 길이는 8 m 5 cm입니다.
$\quad$ ⇨ 830 cm＋8 m 5 cm
$\quad\quad$ ＝8 m 30 cm＋8 m 5 cm
$\quad\quad$ ＝16 m 35 cm

3 9 m 87 cm－7 m 30 cm
$\quad$ ＝2 m 57 cm

4 10－3－2－1－2＝2(명)

5 ㉡ 책 이름은 그래프에서 알 수 없습니다.

2주 04일

교과서 대표 전략❶ 60~63쪽

대표 예제 01 (1) 9 미터 7 센티미터

(2) 2 미터 36 센티미터

대표 예제 02 ① 158 ② 1, 58

대표 예제 03 ㉠

대표 예제 04 약 9 m

대표 예제 05 (1) 3 m (2) 80 m

대표 예제 06 (　　)

(　　)

(○)

대표 예제 07 1 m 32 cm−1 m 20 cm

=12 cm ; 12 cm

대표 예제 08 92 m 93 cm

대표 예제 09 정희, 정민, 호영

대표 예제 10 4, 3, 3, 10

대표 예제 11

정아네 반 학생들이 좋아하는 간식별 학생 수

4	○		
3	○	○	○
2	○	○	○
1	○	○	○
학생 수 (명) ＼ 간식	햄버거	치킨	피자

대표 예제 12 예 4명인 학생 수를 나타낼 수 없기 때문입니다.

대표 예제 13 4가지

대표 예제 14 ① 예 14번입니다.

② 예 5번입니다.

대표 예제 15 햇살 마을

대표 예제 16 ① 예 햇살 마을입니다.

② 예 달빛 마을입니다.

대표 예제 01

(1) 9 m 7 cm ⇨ 9 미터 7 센티미터

(2) 2 m 36 cm ⇨ 2 미터 36 센티미터

대표 예제 02 158 cm=100 cm+58 cm

=1 m 58 cm

대표 예제 03 재는 횟수는 길이가 짧을수록 많으므로 길이가 짧은 것을 찾으면 ㉠입니다.

대표 예제 04 끈의 길이는 1 m를 몇 번 어림한 것인지 세어 보면 9번이므로 어림한 끈의 길이는 약 9 m입니다.

대표 예제 05 (1) 칠판 긴 쪽의 길이는 양팔을 3번 정도 벌린 길이이므로 약 3 m입니다.

(2) 학교 운동장 긴 쪽의 길이는 양팔을 10번 벌린 길이보다 훨씬 길므로 약 80 m입니다.

대표 예제 06 503 cm=5 m 3 cm

⇨ 5 m 30 cm>503 cm>
3 m 50 cm

대표 예제 07 1 m 32 cm>1 m 20 cm이므로

1 m 32 cm−1 m 20 cm

=(1 m−1 m)+
(32 cm−20 cm)

=12 cm

대표 예제 08 $52 \text{ m } 58 \text{ cm}+40 \text{ m } 35 \text{ cm}$
$=(52+40) \text{ m}+(58+35) \text{ cm}$
$=92 \text{ m } 93 \text{ cm}$

대표 예제 09 치킨 그림을 찾아 이름을 쓰면 정희, 정민, 호영입니다.

대표 예제 10 햄버거, 치킨, 피자 그림을 각각 세어 보면 4, 3, 3입니다.
합계: $4+3+3=10$(명)

대표 예제 11 ○를 햄버거는 4개, 치킨은 3개, 피자는 3개만큼 아래에서 위로 차례대로 그립니다.

대표 예제 12 ○를 그려 그래프를 완성할 때 잘못된 부분을 살펴봅니다.

대표 예제 13 동진이가 일주일 동안 한 집안일의 종류는 빨래 개기, 신발 정리, 분리수거, 식탁 닦기로 4가지입니다.
주의
합계는 집안일 종류가 아님에 주의합니다.

대표 예제 14 ① 합계가 14번이므로 일주일 동안 집안일을 한 횟수는 14번입니다.
② 표에서 빨래 개기를 찾으면 5번입니다.

대표 예제 15 구름 마을에 사는 학생 수 2명을 기준으로 선을 그어 ○가 그 위에 있는 마을을 찾으면 햇살 마을입니다.

대표 예제 16 그래프를 보고 ○의 수가 가장 많은 마을과 가장 적은 마을을 알아봅니다.

교과서 대표 전략❷
64~65쪽

1 ⑩ 자의 눈금이 3부터 시작해서 1 m 35 cm가 아닙니다.

2 미리

3

	5	m	4	1	cm
+		2 m	3	8	cm
	7	m	7	9	cm

4 약 3 m

5 9, 7, 8, 7, 31

6 ☂에 ○표

7 ⑩

1월의 날씨별 날수

날수(일) \ 날씨	맑음	흐림	비	눈
9	○			
8	○		○	
7	○	○	○	○
6	○	○	○	○
5	○	○	○	○
4	○	○	○	○
3	○	○		○
2	○	○		○
1	○	○	○	○

8 6, 5

1 책상을 잰 끝쪽이 135 cm를 나타내는 데 1 m 35 cm가 잘못 잰 길이이므로 앞쪽 부분이 0 cm부터 시작되었는지 살펴봅니다.

2 어림하여 자른 끈의 길이와 4 m 20 cm의 차를 구합니다.
준상: 4 m 40 cm−4 m 20 cm
   =20 cm
미리: 4 m 20 cm−4 m 5 cm
   =15 cm
따라서 4 m 20 cm에 더 가깝게 자른 친구는 미리입니다.

3 5 m 41 cm+2 m 38 cm
   =(5+2) m+(41+38) cm
   =7 m 79 cm

4 책장의 길이는 지아의 두 걸음의 길이의 약 3배이므로 약 3 m입니다.

5 산가지(⌇⌇⌇⌇)의 표시 방법을 이용하여 날씨별로 날수를 세어 표에 적습니다.
⇨ (합계)=9+7+8+7=31(개)

6 25일을 찾아 그림을 살펴보면 '비'입니다.

7 ○, ×, / 등을 이용하여 수를 나타냅니다. 날씨는 표의 순서에 따라 적어 보고, 맑음은 9개, 흐림은 7개, 비는 8개, 눈은 7개만큼 아래에서 위로 차례대로 그립니다.

8 (피아노를 배우고 싶은 학생 수)
   =3+3=6(명)
   (리코더를 배우고 싶은 학생 수)
   =18−6−4−3=5(명)

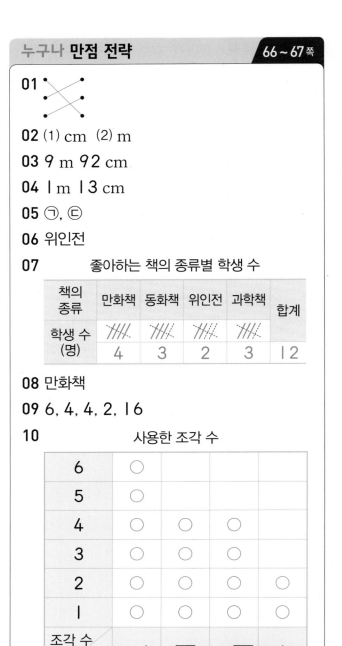

누구나 **만점 전략**   66~67쪽

01

02 (1) cm (2) m

03 9 m 92 cm

04 1 m 13 cm

05 ㉠, ㉢

06 위인전

07 좋아하는 책의 종류별 학생 수

책의 종류	만화책	동화책	위인전	과학책	합계
학생 수 (명)	⌇⌇⌇⌇	⌇⌇⌇	⌇⌇	⌇⌇⌇	
	4	3	2	3	12

08 만화책

09 6, 4, 4, 2, 16

10 사용한 조각 수

조각 수 (개) 조각	△	◻	▱	◮
6	○			
5	○			
4	○	○	○	
3	○	○	○	
2	○	○	○	○
1	○	○	○	○

01 693 cm=600 cm+93 cm
   =6 m 93 cm
   639 cm=600 cm+39 cm
   =6 m 39 cm
   603 cm=600 cm+3 cm
   =6 m 3 cm

02 양팔을 벌린 길이를 약 1 m로 생각해 봅니다.

(1) 젓가락의 길이는 양팔을 벌린 길이보다 짧으므로 cm가 알맞습니다.

(2) 비행기의 길이는 양팔을 벌린 길이보다 훨씬 길므로 m가 알맞습니다.

03 5 m 28 cm+4 m 64 cm
=(5+4) m+(28+64) cm
=9 m 92 cm

04 2 m 45 cm−1 m 32 cm
=(2−1) m+(45−32) cm
=1 m 13 cm

05 5 m를 어림해 보면 양팔을 5번 벌린 길이 정도입니다.

이 길이보다 긴 길이를 찾아보면 ㉠ 기차의 길이, ㉢ 5층 건물의 높이입니다.

06 표에서 재아를 찾아 책의 종류를 씁니다.

07 ✕✕✕의 표시 방법을 이용하여 자료를 세어 봅니다.

08 07의 표에서 학생 수가 가장 많은 책의 종류를 찾아보면 만화책입니다.

09 같은 조각끼리 같은 표시를 하면서 세어 봅니다.
⇨ (합계)=6+4+4+2=16(개)

10 조각 수에 맞게 아래에서 위로 ○를 순서대로 그립니다.

창의·융합·코딩 전략 ❶ | **68~69쪽**

1 1, 5 ; 1 미터 5 센티미터
2 축구

1 105 cm=100 cm+5 cm
=1 m 5 cm
⇨ 1 미터 5 센티미터

창의·융합·코딩 전략 ❷ | **70~73쪽**

1 약 1 m 45 cm
2 1 m 35 cm
3 3 m 45 cm
4 45 m 83 cm

5 색깔별 가리킨 횟수

횟수(번) \ 색깔	보라	초록	빨강
6	○		
5	○		
4	○	○	
3	○	○	
2	○	○	
1	○	○	○

; 많습니다에 ○표

6 5, 17 ; ○를 5개 그림(풀이 참조)
7 1, 4, 2, 7
8 20점

1 양팔을 1번 벌린 길이는 약 1 m이고, 뼘의 길이를 3번 더한 길이는
약 15 cm+15 cm+15 cm=45 cm
이므로 책상의 길이는 약 1 m 45 cm입니다.

2 (민주의 키)

=(의자 위에 올라가 잰 키)−(의자의 높이)

=1 m 92 cm−57 cm

=1 m+(92−57) cm

=1 m 35 cm

3

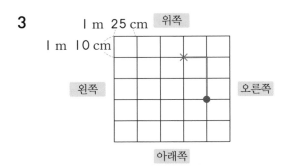

(위쪽으로 2칸 이동했을 때의 거리)

=1 m 10 cm+1 m 10 cm

=(1 m+1 m)+(10 cm+10 cm)

=2 m 20 cm

⇨ 2 m 20 cm+1 m 25 cm

　=(2 m+1 m)+(20 cm+25 cm)

　=3 m 45 cm

4

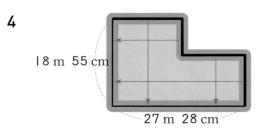

굵은 선의 가로의 합과 굵은 선의 세로의 합을 따로 생각해 보면 굵은 선의 가로의 합은 27 m 28 cm이고, 굵은 선의 세로의 합은 18 m 55 cm입니다.

따라서 굵은 선을 따라 갔을 때의 거리는 27 m 28 cm+18 m 55 cm

=(27 m+18 m)+(28 cm+55 cm)

=45 m 83 cm입니다.

5 표를 보고 수에 맞게 ○를 그립니다.

6

먹고 싶은 음식별 학생 수

5			○	○
4	○		○	○
3	○	○	○	○
2	○	○	○	○
1	○	○	○	○
학생 수 (명) 음식				

표에서 떡볶이를 먹고 싶은 학생은 5명이므로 그래프에서 떡볶이에 ○를 5개 그립니다. 그래프에서 라면을 먹고 싶은 학생은 5명이므로 표에서 라면 칸에 5를 씁니다.

합계: 4+3+5+5=17(명)

7 이름별로 ○의 수를 세면 성공한 횟수를 알 수 있습니다.

○의 수가 정현이는 1개, 지현이는 4개, 우진이는 2개이므로 이 수를 차례대로 표에 씁니다.

8 5점에 맞힌 화살 수는 1개이므로 5점, 3점에 맞힌 화살 수는 4개이므로 3×4=12(점), 1점에 맞힌 화살 수는 3개이므로 1×3=3(점)입니다.

따라서 얻은 점수는 5+12+3=20(점)입니다.

주의

얻은 점수를 합계로 생각하지 않습니다. 합계는 맞힌 화살 수를 나타냅니다.

개념 돌파 전략 ❶ 개념 기초 확인   77, 79쪽

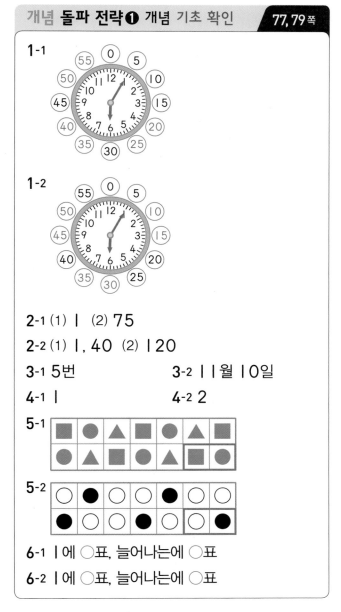

1-1

1-2

2-1 (1) 1 (2) 75

2-2 (1) 1, 40 (2) 120

3-1 5번　　　　　3-2 11월 10일

4-1 1　　　　　4-2 2

5-1

5-2

6-1 1에 ○표, 늘어나는에 ○표

6-2 1에 ○표, 늘어나는에 ○표

1-2 시계의 긴바늘이 가리키는 수가 1씩 커지면 5분씩 늘어납니다.

2-2 (1) 100분=60분+40분=1시간+40분
　　 (2) 2시간=60분+60분=120분

3-2 11월 3일에서 7일 후는 11월 10일입니다.

4-2 2부터 시작하여 2씩 커집니다.

5-2 흰색, 검은색, 흰색이 반복됩니다.

6-2 쌓기나무가 위쪽에 1개씩 늘어납니다.

개념 돌파 전략 ❷   80 ~ 81쪽

1 8 ; 4, 40

2 7시 10분 20분 30분 40분 50분 8시

3 (위부터) 12, 31, 2

4

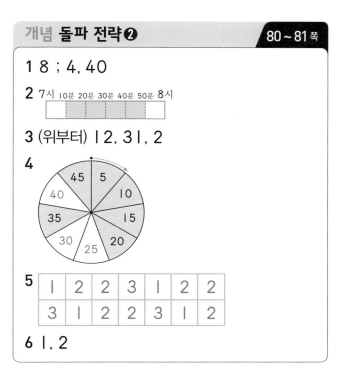

5

1	2	2	3	1	2	2
3	1	2	2	3	1	2

6 1, 2

1 시계의 짧은바늘이 4와 5 사이, 긴바늘이 8을 가리키면 4시 40분입니다.

2 7시 10분부터 7시 50분까지 시간이 흘렀습니다. ⇨ 시간 띠 4칸만큼 색칠합니다.

3 1년은 12개월입니다.
5월의 마지막 날은 31일입니다.
날수가 가장 적은 달은 2월입니다.

4 화살표 방향으로 5씩 커지는 규칙입니다.

5 1, 2, 2, 3이 반복되는 규칙입니다.

6 쌓기나무가 2층, 1층, 2층이 반복됩니다.

필수 체크 전략 ❶
82~85쪽

필수 예제 01 6, 17

확인 1-1 3, 42

확인 1-2 5, 53

필수 예제 02

확인 2-1   **확인 2-2**

필수 예제 03 (위부터) 6, 12, 25

확인 3-1 (위부터) 8, 16, 14

확인 3-2 (위부터) 5, 16, 18

필수 예제 04

확인 4-1

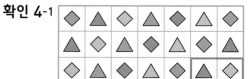

확인 4-2

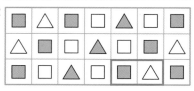

확인 1-1 짧은바늘은 3과 4 사이, 긴바늘은 8에서 작은 눈금 2칸을 더 간 곳을 가리킵니다. 시계가 나타내는 시각은 3시 42분입니다.

확인 1-2 짧은바늘은 5와 6 사이, 긴바늘은 11에서 작은 눈금 2칸을 덜 간 곳을 가리킵니다. 시계가 나타내는 시각은 5시 53분입니다.

확인 2-1 짧은바늘: 9와 10 사이를 가리키도록 그립니다.
긴바늘: 4에서 작은 눈금 1칸 덜 간 곳을 가리키도록 그립니다.

확인 2-2 짧은바늘: 3과 4 사이를 가리키도록 그립니다.
긴바늘: 6에서 작은 눈금 2칸 더 간 곳을 가리키도록 그립니다.

확인 3-1 (위부터) $3+5=8$,
$7+9=16$,
$9+5=14$

확인 3-2 (위부터) $3\times\square=15 \rightarrow \square=5$,
$4\times4=16$,
$6\times3=18$

확인 4-1 ◇, △이 반복되고 초록색, 보라색, 노란색이 반복됩니다.

확인 4-2 □, △, □이 반복되고 파란색, 흰색이 반복됩니다.

필수 체크 전략 ❷　86~87쪽

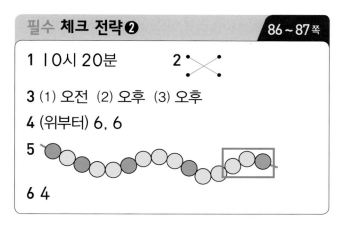

1 10시 20분　**2**

3 (1) 오전　(2) 오후　(3) 오후

4 (위부터) 6, 6

5

6 4

---

1 시계의 짧은바늘이 10과 11 사이, 긴바늘이 4를 가리킵니다.
시계가 나타내는 시각은 10시 20분입니다.

2 • 5시 37분 ⇨ 짧은바늘이 5와 6 사이, 긴바늘이 7에서 작은 눈금 2칸 더 간 곳을 가리킵니다.
• 7시 27분 ⇨ 짧은바늘이 7과 8 사이, 긴바늘이 5에서 작은 눈금 2칸 더 간 곳을 가리킵니다.

3 오전: 전날 밤 12시부터 낮 12시까지
오후: 낮 12시부터 밤 12시까지

4 같은 줄에서 오른쪽으로 갈수록 1씩 커지고, 아래쪽으로 내려갈수록 1씩 커지는 규칙이 있습니다.

5 초록색 구슬과 노란색 구슬이 반복되고 노란색 구슬의 수가 하나씩 커지는 규칙입니다.
노란색 구슬 4개를 연이어 끼워야 하므로 노란색 구슬 2개, 초록색 구슬을 꿰입니다.

6 쌓기나무는 2층, 1층, 1층이 반복됩니다.
따라서 ☐ 안에 들어갈 세 수의 합은
2+1+1=4입니다.

3주 03일

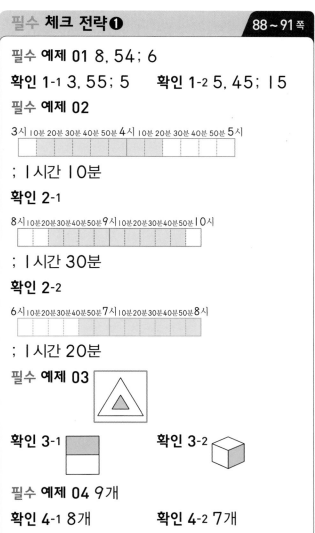

필수 체크 전략 ❶　88~91쪽

필수 **예제 01** 8, 54 ; 6

확인 **1-1** 3, 55 ; 5　　확인 **1-2** 5, 45 ; 15

필수 **예제 02**

3시 10분 20분 30분 40분 50분 4시 10분 20분 30분 40분 50분 5시

; 1시간 10분

확인 **2-1**

8시 10분 20분 30분 40분 50분 9시 10분 20분 30분 40분 50분 10시

; 1시간 30분

확인 **2-2**

6시 10분 20분 30분 40분 50분 7시 10분 20분 30분 40분 50분 8시

; 1시간 20분

필수 **예제 03**

확인 **3-1**　　　　　　확인 **3-2**

필수 **예제 04** 9개

확인 **4-1** 8개　　　　확인 **4-2** 7개

확인 **1-1** 4시가 되려면 5분이 더 지나야 합니다. 이 시각은 4시 5분 전입니다.

확인 **1-2** 6시가 되려면 15분이 더 지나야 합니다. 이 시각은 6시 15분 전입니다.

확인 **2-1** 8시 20분부터 9시 50분까지 시간 띠 9칸이므로 90분이 지났습니다.
⇨ 90분=60분+30분
　　　=1시간 30분

확인 2-2 6시 40분부터 8시까지 시간 띠 8칸
이므로 80분이 지났습니다.
⇨ 80분＝60분＋20분
＝1시간 20분

확인 3-1 색칠한 곳이 위쪽, 아래쪽으로 반복되
는 규칙입니다.

확인 3-2 색칠한 곳이 시계 방향으로 옮겨지는
규칙입니다.

확인 4-1 쌓기나무가 2개씩 늘어나는 규칙입니
다. 다음에 이어질 모양에 쌓을 쌓기
나무의 개수는 6＋2＝8(개)입니다.

확인 4-2 쌓기나무가 2개씩 늘어나는 규칙입니
다. 다음에 이어질 모양에 쌓을 쌓기
나무의 개수는 5＋2＝7(개)입니다.

필수 체크 전략❷ 92~93쪽

1

2
; 5시간

3 9월 23일   4 (위부터) 25, 30

5   6 16개

---

1 3시 10분 전은 2시 50분입니다.
짧은바늘은 2와 3 사이, 긴바늘은 10을
가리키도록 그립니다.

2 동물원에 들어간 시각은 오전 9시이고, 동
물원에서 나온 시각은 오후 2시입니다.
동물원에 있었던 시간은 시간 띠 5칸이므
로 5시간입니다.

3 9월 둘째 금요일은 9월 9일입니다.
2주일은 14일이므로 2주일 후는
9＋14＝23(일)입니다.

4 ·10 → 15 → 20: 같은 줄에서 오른쪽
으로 갈수록 5씩 커집니다.
⇨ 20 다음의 빈칸에 알맞은 수는 25입
니다.
·12 → 18 → 24: 같은 줄에서 오른쪽
으로 갈수록 6씩 커집니다.
⇨ 24 다음의 빈칸에 알맞은 수는 30입
니다.

5 시계가 나타내는 시각은 1시 → 2시 → 3시
입니다.
⇨ 1시간씩 더해지는 규칙이므로 빈 시계
에 알맞은 시각은 3시에서 1시간 후인
4시입니다.

6 쌓기나무는 1층씩 늘어나고 아래로 내려가
면서 쌓기나무가 2개씩 늘어나는 규칙입니다.
쌓기나무를 4층으로 쌓으려면 쌓기나무는 모
두 1＋3＋5＋7＝16(개) 필요합니다.

대표 **예제 01** (1) 5, 15 (2) 9, 40

대표 **예제 02** (1) (2)

대표 **예제 03** 3, 50 ; 10

대표 **예제 04** (1) 80 (2) 2, 20

대표 **예제 05** 40분

대표 **예제 06** (1) 오전 (2) 오후

대표 **예제 07** (1) 48 (2) 1, 12 (3) 21

대표 **예제 08** 11월 16일

대표 **예제 09** (위부터) 6, 6, 10, 10, 20

대표 **예제 10** (위부터) 7, 9, 5, 35, 81

대표 **예제 11**

1	2	3	3	1	2	3	3
1	2	3	3	1	2	3	3

대표 **예제 12**

대표 **예제 13**

대표 **예제 14** 2

대표 **예제 15** (○)( )

대표 **예제 16** (위부터) 14, 22

대표 **예제 01** (1) 짧은바늘은 5와 6 사이를 가리키고 긴바늘은 3을 가리키므로 5시 15분입니다.

(2) 짧은바늘은 9와 10 사이를 가리키고 긴바늘은 8을 가리키므로 9시 40분입니다.

대표 **예제 02** (2) 12시 10분 전은 11시 50분입니다.

대표 **예제 03** 시계가 나타내는 시각은 3시 50분입니다. 4시가 되려면 10분이 더 지나야 하므로 4시 10분 전이라고도 합니다.

대표 **예제 04** (1) 1시간 20분
=60분+20분
=80분

(2) 140분
=60분+60분+20분
=2시간 20분

대표 **예제 05** 줄넘기 연습을 2시 20분부터 3시까지 했습니다.

2시 20분 ─10분→ 2시 30분

─10분→ 2시 40분 ─10분→

2시 50분 ─10분→ 3시

대표 **예제 06** 오전: 전날 밤 12시부터 낮 12시까지

오후: 낮 12시부터 밤 12시까지

대표 **예제 07** (1) 2일=24시간+24시간
=48시간

(2) 36시간=24시간+12시간
=1일 12시간

(3) 3주일=7일+7일+7일
=21일

대표 예제 08 2주일은 7일＋7일＝14일입니다. 따라서 11월 2일로부터 14일 후인 11월 16일입니다.

대표 예제 09 (위부터) 2＋□＝8 → □＝6,
4＋2＝6,
6＋4＝10,
□＋2＝12 → □＝10,
10＋10＝20

대표 예제 10 (위부터) 1×7＝7,
3×3＝9,
□×1＝5 → □＝5,
7×5＝35,
9×9＝81

대표 예제 11 ● 모양 1개, ◆ 모양 1개, ▲ 모양 2개가 반복되므로 1, 2, 3, 3이 반복됩니다.

대표 예제 12 바둑돌의 수는 2씩 커집니다. 검은 바둑돌의 위치는 위, 아래로 반복되고 흰 바둑돌의 위치는 아래, 위로 반복됩니다.

대표 예제 13 색칠한 부분이 위, 아래로 반복됩니다.

대표 예제 14 쌓기나무가 위에서부터 1개, 3개, 5개, 7개로 2개씩 늘어납니다.

대표 예제 15 쌓기나무가 2개씩 늘어나는 규칙입니다. 다음에 이어질 모양에 쌓을 쌓기나무는 8개입니다.

대표 예제 16 → 방향으로 1씩 커지고 ↓ 방향으로 7씩 커집니다.

교과서 대표 전략 ② 98~99쪽

1 ( ) (○)
2 11시 20분
3 12시 15분
4

11월						
일	월	화	수	목	금	토
				1	2	3
4	5	6	7	8	9	10
11	12	13	14	15	16	17
18	19	20	21	22	23	24
25	26	27	28	29	30	

5 (위부터) 9, 9
6 ◷
7 3개
8 라, 넷

---

1 짧은바늘: 1과 2 사이
긴바늘: 8에서 작은 눈금으로 3칸 더 간 곳

2 수영 연습은 10시 30분에 시작했습니다. 따라서 10시 30분으로부터 50분 후인 11시 20분에 끝났습니다.

3 모형 시계가 나타내는 시각은 11시 15분입니다.
긴바늘이 한 바퀴 돌면 1시간이 지나므로 12시 15분입니다.

4 11월은 30일까지 있습니다. 같은 줄에서 오른쪽으로 1칸씩 갈 때 1씩 커집니다.

5 같은 줄에서 오른쪽으로 갈수록 1씩 커지고 아래쪽으로 내려갈수록 1씩 커지는 규칙이 있습니다.

6 시계 방향으로 1칸씩 옮겨 가며 색칠합니다.

7 쌓기나무가 3개, 6개로 반복되는 규칙입니다.

8 의자 번호는 → 방향으로 1씩 커지고 ↓ 방향으로 6씩 커집니다.
다열 넷째 자리: 10+6=16(번),
라열 넷째 자리: 16+6=22(번)

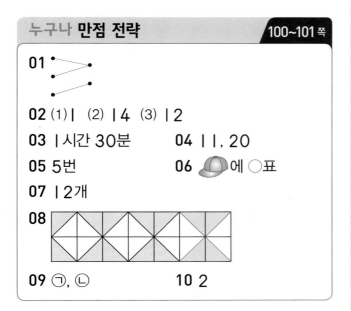

01 (그림)

02 (1) 1   (2) 14   (3) 12

03 1시간 30분   **04** 11, 20

05 5번   **06** 🧢 에 ◯표

07 12개

08 (무늬 그림)

09 ㉠, ㉡   **10** 2

01 3시 15분 전은 2시 45분입니다.
시계가 나타내는 시각은 위부터 2시 45분,
9시 10분입니다.

02 (1) 60분=1시간
(2) 2주일=7일+7일=14일
(3) 1년=12개월

03 시작한 시각은 7시 10분이고, 끝난 시각은 8시 40분입니다.
⇨ 7시 10분 ──1시간──▶ 8시 10분 ──30분──▶
8시 40분이므로 1시간 30분 걸렸습니다.

04 10시 30분 ──10분──▶ 10시 40분 ──10분──▶
10시 50분 ──10분──▶ 11시 ──10분──▶
11시 10분 ──10분──▶ 11시 20분

05 같은 요일이 7일마다 반복됩니다.
5월은 31일까지 있으므로 5월의 월요일은 2일, 2+7=9(일), 9+7=16(일),
16+7=23(일), 23+7=30(일)입니다.

06 모자와 펭귄이 반복되고 펭귄의 수가 하나씩 커지는 규칙입니다.
따라서 펭귄 그림 4개 다음에는 모자가 놓여야 합니다.

07 쌓기나무의 수가 3부터 시작하여 3씩 커집니다.
⇨ 3개, 6개, 9개이므로 다음에 이어질 모양은 쌓기나무 9+3=12(개)로 쌓은 것입니다.

08 ◪ 모양을 시계 방향으로 돌려 만든 무늬입니다.

09 ㉡ 줄마다 아래로 내려갈수록 커지는 수가 다릅니다.
1, 3, 5, 7 ⇨ 2씩 커집니다.
3, 9, 15, 21 ⇨ 6씩 커집니다.
5, 15, 25, 35 ⇨ 10씩 커집니다.
7, 21, 35, 49 ⇨ 14씩 커집니다.

10 8시 30분 ──2시간──▶ 10시 30분 ──2시간──▶
12시 30분

창의·융합·코딩 전략 ❶ — 102~103쪽

1 20분	2 ↓에 ○표

1 5시 40분 ——10분——▶ 5시 50분 ——10분——▶ 6시
이므로 20분 걸립니다.

2 ↓ 방향으로 같은 모양이 반복됩니다.

창의·융합·코딩 전략 ❷ — 104~107쪽

1 (○)( )	2 피자 가게
3 37번	4 3시
5	6 5번
7	8 3, 1

1 ○, △, □ 모양이 반복되고, 노란색과 초
록색이 반복되는 규칙이 있습니다.

2 • 피자 가게: 오후 4시~오후 8시
  ⇨ 4시간 동안 열려 있습니다.
 • 돈가스 가게: 오전 11시~오후 2시
  ⇨ 3시간 동안 열려 있습니다.
 더 오래 열려 있는 가게는 피자 가게입니다.

3 의자에 쓰인 수는 → 방향으로 1씩 커지고
↓ 방향으로 8씩 커집니다.
가열 다섯째 자리는 5번, 나열 다섯째 자리
는 13번입니다.
따라서 마열 다섯째 자리의 번호는
13+8+8+8=37(번)입니다.

4 영화를 시작한 시각은 2시입니다. 영화는
60분 동안 상영하므로 1시간 후에 끝납
니다.
따라서 끝나는 시각은 2시 ——1시간——▶ 3시입
니다.

5 꽃을 심은 칸이 시계 방향으로 1칸씩 옮겨
집니다. 정원에 심은 꽃이 1송이씩 늘어납
니다.
 ⇨ 따라서 왼쪽에서 넷째에 있는 정원은

초록색	초록색
갈색	초록색

이고 갈색인 칸에 꽃이 4송이
입니다.

6 12월은 31일까지 있고 7일마다 같은 요
일이 반복되므로 이달의 토요일은 3일,
10일, 17일, 24일, 31일입니다.
 ⇨ 이달에는 도서관을 5번 갑니다.

7 현재 시각은 11시 10분 전이므로 10시
50분입니다.
10시 50분보다 10분 느린 시각은 10시
40분이므로 고장 난 시계의 짧은바늘은
10과 11 사이, 긴바늘은 8을 가리키도록
그립니다.

8 1층에 쌓기나무가 6개를 옆으로 나란히 두
고, 왼쪽에서부터 첫째, 셋째, 다섯째이면
쌓기나무는 3층이 되도록 쌓습니다.

⇨

쌓기나무는 3층, 1층이 반복됩니다.

신유형·신경향·서술형 **전략** **110~115쪽**

1 ❶ 40, 1, 4341 ❷ 20, 4, 5124

2 ❶ 4 + 1 = 5 ,
  1 × 4 = 4 , 5 4

 ❷ 3 + 2 = 5 ,
  2 × 3 = 6 , 5 6

3 ❶
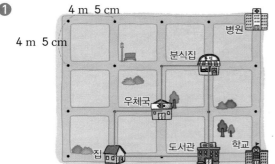

 ❷ 8번   ❸ 32 m 40 cm

4 ❶ 공부,

 ❷ 독서,

5 ❶ (위에서부터) 3, 3, 7 / 2, 1, 6
 ❷ 미진 3, 9, 3, 3 ; 9, 3, 17
   정현 2, 6, 1, 1 ; 6, 1, 22
 ❸ 미진에 ○표, 정현에 ○표
6 ❶ 시계 방향에 ○표, 1 ❶❷
 ❷ 1, 1, 1

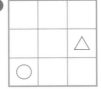

1 ❶ 매듭이 몇 번 묶여 있는지 세어 각 자리 수를 알아봅니다.
위에 있는 매듭부터 묶인 수를 세어 보면
4, 3, 4, 1이므로
4000+300+ 40+1=4341
입니다.

 ❷ 매듭이 몇 번 묶여 있는지 세어 각 자리 수를 알아봅니다.
위에 있는 매듭부터 묶인 수를 세어 보면
5, 1, 2, 4이므로
5000+100+ 20+4=5124
입니다.

2 ❶
접은 손가락 수의 합: 4+1=5,
편 손가락 수의 곱: 1×4=4
접은 손가락 수의 합을 십의 자리에 쓰고, 편 손가락 수의 곱을 일의 자리에 쓰면 54입니다.

 ❷
접은 손가락 수의 합: 3+2=5,
편 손가락 수의 곱: 2×3=6
접은 손가락 수의 합을 십의 자리에 쓰고, 편 손가락 수의 곱을 일의 자리에 쓰면 56입니다.

3 ❶ 한 번 지나간 길은 다시 지나가지 않으므로 지나간 길은 한 가지입니다.
 ❸ 4 m 5 cm를 8번 더하면
(4×8) m+(5×8) cm
=32 m 40 cm입니다.

4 ❶ 오전 9시에서 오전 10시 30분까지 공부를 해야 하므로 오전 9시 40분에도 공부를 하고 있습니다.

❷ 오후 2시 30분에서 오후 5시까지 독서를 해야 하므로 오후 4시 15분에도 독서를 하고 있습니다.

5 ❶ (미진이의 합계)=1+3+3=7(개)
(정현이의 합계)=3+2+1=6(개)

❷ 점수별로 맞힌 화살 수를 살펴보고 점수를 구합니다.

6 ❶

㉠, ㉡, ㉢, ㉣……… 방향으로 움직이므로 ㉭ 다음 ㉅으로 움직여야 합니다.

❷

㉠	㉡	㉢

㉠, ㉡, ㉢, ㉡, ㉠, ㉡ 방향으로 움직이므로 일곱 번째는 ㉢으로 움직입니다.

---

01 1000, 1000　　**02** 5, 15

03 (1) 42　(2) 36　　**04** ✕

05 1324, 천삼백이십사

06 (1) 90　(2) 9000

07 5000, 700, 30, 8

08 (1) >　(2) >　　**09** ④

10 3806, 4806, 8806

11 7　　　　　　　　**12** ㉢

13 3000원

14

×	6	7	8	9
6	36	42	48	54
7	42	49	56	63
8	48	56	64	72
9	54	63	72	81

, 8×6

15 4×5=20, 20개

16 ㉣

17 (1) 10　(2) 9684

18 500, 10

19 7×3=21, 21송이

20 39살

01 999보다 1만큼 더 큰 수는 1000입니다.

02 도넛이 한 접시에 3개씩 5접시에 놓여 있습니다.
⇨ 3×5=15

04 • 1000이 4개이면 4000입니다.
• 삼천은 3000입니다.
• 천 모형이 2개이면 2000입니다.

05 천 모형이 1개, 백 모형이 3개, 십 모형이 2개, 일 모형이 4개이므로 1324라 쓰고 '천삼백이십사'라고 읽습니다.

06 (1) 숫자 9는 십의 자리 숫자이므로 90을 나타냅니다.
(2) 숫자 9는 천의 자리 숫자이므로 9000을 나타냅니다.

07 5738에서
5는 천의 자리 숫자이므로 5000,
7은 백의 자리 숫자이므로 700,
3은 십의 자리 숫자이므로 30,
8은 일의 자리 숫자이므로 8을 나타냅니다.

08 (1) 백의 자리 수를 비교하면
2>1이므로 5200>5199입니다.
(2) 삼천구백십은 3910이고
삼천구백팔은 3908입니다.
십의 자리 수를 비교하면 1>0이므로
삼천구백십>삼천구백팔입니다.

09 ① $1 \times 1 = 1$ ② $1 \times 9 = 9$ ③ $0 \times 5 = 0$
④ $5 \times 1 = 5$ ⑤ $3 \times 0 = 0$

10 1000씩 뛰어 세면 천의 자리 수가 1씩 커집니다.

11 5단 곱셈구구에서
$5 \times 7 = 35$이므로 □=7입니다.

12 ㉠ 27 ㉡ 36 ㉢ 42 ㉣ 40
⇨ 곱이 가장 큰 것은 ㉢ 42입니다.

13 1000이 3개이면 3000이므로
정호가 낸 성금은 모두 3000원입니다.

14 $6 \times 8 = 48$이므로 곱셈표에서 곱이 같은 곱셈구구는 $8 \times 6 = 48$입니다.

15 말 한 마리에 다리가 4개씩 있으므로
말 5마리의 다리는 $4 \times 5 = 20$(개)입니다.

16 ㉠ 사과 8개를 5번 더해서 구합니다.
㉡ 8×4에 8을 더하면 8×5와 같습니다.
㉢ 8씩 5묶음이므로 $8 \times 5 = 40$입니다.
㉣ $5 \times 7 = 35$에 8을 더하면
$35 + 8 = 43$이고 잘못된 방법입니다.

17 (1) 십의 자리 수가 1씩 커지므로 10씩 뛰어 센 것입니다.
(2) 9654부터 10씩 뛰어 세면
9654 - 9664 - 9674 - 9684입니다.

다른 풀이
세로(↓)로 천의 자리 수가 1씩 커지므로
1000씩 뛰어 센 것입니다.
➡ 6684 - 7684 - 8684 - 9684

18 • 500 - 600 - 700 - 800 - 900 - 1000이므로 500보다 500만큼 더 큰 수는 1000입니다.
• 990에서 10만큼 더 큰 수는 1000입니다.

19 꽃다발 한 개에 장미가 7송이씩 있으므로
꽃다발 3개에는 장미가 $7 \times 3 = 21$(송이)
있습니다.

20 9의 4배는 $9 \times 4 = 36$이고, 36보다 3만큼 더 큰 수는 $36 + 3 = 39$입니다.
따라서 도현이 어머니의 나이는 39살입니다.

01 (1) 5, 12 (2) 726

02 (1) m (2) cm　　**03** 1, 5

04 9, 95　　**05** 8, 59

06 겨울　　**07** 도희, 연욱, 준호

08

좋아하는 계절별 학생 수

계절	봄	여름	가을	겨울	합계
학생 수 (명)	〃〃〃 3	〃〃〃〃 4	〃〃 2	〃〃〃 3	12

09 ㉠　　**10** 여름

11 ㉡　　**12** 지우

13 ㉠, ㉡, ㉢　　**14** 6 m 53 cm

15 (위에서부터) 2, 4, 7 ; 6, 3

16

혈액형별 학생 수

8	○			
7	○		○	
6	○		○	
5	○		○	
4	○		○	○
3	○	○	○	○
2	○	○	○	○
1	○	○	○	○
학생 수 (명) / 혈액형	A형	B형	O형	AB형

17 혈액형, 학생 수

18 22명

19 A형, O형, AB형, B형

20 ㉠

01 (1) 512 cm=500 cm+12 cm
　　　　　=5 m 12 cm
　　(2) 7 m 26 cm=700 cm+26 cm
　　　　　　　　=726 cm

02 (1) 칠판 긴 쪽의 길이는 1 m보다 길므로 약 3 m입니다.
약 3 cm는 지우개의 길이 정도입니다.
(2) 교실 문의 높이는 1 m=100 cm보다 길므로 약 200 cm입니다.
200 m는 초고층 건물의 높이입니다.

03 자의 눈금이 105이므로
105 cm=1 m 5 cm입니다.

04 38 cm와 57 cm의 합인 95 cm를 cm 단위에 쓰고, 8 m와 1 m의 합인 9 m를 m 단위에 씁니다.

05 85 cm와 26 cm의 차인 59 cm를 cm 단위에 쓰고, 16 m와 8 m의 차인 8 m를 m 단위에 씁니다.

06 진현이를 표에서 찾은 다음 좋아하는 계절을 알아보면 겨울입니다.

07 봄을 좋아하는 학생은 도희, 연욱, 준호입니다.

08 표시 방법을 이용하여 자료를 세어 봅니다.

09 ㉠ 표는 좋아하는 계절별 학생 수를 쉽게 알 수 있습니다.
㉡ 자료는 각 학생별로 좋아하는 계절이 무엇인지 알 수 있습니다.

10 표에서 학생 수가 가장 많은 계절을 살펴보면 여름입니다.

11 1 m에 가까운 길이는 양팔을 벌린 길이입니다.

12 3 m 80 cm＝300 cm＋80 cm
$\quad\quad\quad\quad\quad$＝380 cm
$\Rightarrow$ 320 cm＜380 cm

13 길이가 짧은 단위일수록 재는 횟수가 많으므로 ㉠, ㉡, ㉢입니다.

14 2 m 38 cm＜3 m 30 cm
$\quad$＜3 m 56 cm＜4 m 15 m
$\Rightarrow$ 2 m 38 cm＋4 m 15 cm
$\quad$＝(2 m＋4 m)＋(38 cm＋15 cm)
$\quad$＝6 m 53 cm

15 가장 짧은 길이를 만들려면 m 단위부터 가장 작은 숫자를 넣어야 합니다.
$\Rightarrow$ 8 m 50 cm－2 m 47 cm
$\quad$＝(8 m－2 m)＋(50 cm－47 cm)
$\quad$＝6 m 3 cm

16 ○를 한 칸에 1개씩 아래에서 위로 빈칸 없이 채워서 표시합니다.

17 가로에는 혈액형, 세로에는 학생 수를 나타내었습니다.

18 표에서 합계를 보면 22명입니다.

19 그래프에서 ○가 많은 혈액형부터 차례로 씁니다.

20 ㉠ 그래프에서 ○를 보고 학생 수가 가장 많은 혈액형을 한눈에 알 수 있습니다.
$\quad$ ㉡ A형 남학생 수는 알 수 없습니다.
$\quad$ ㉢ 성현이의 혈액형은 표를 보고 알 수 있고, 그래프를 보고는 알 수 없습니다.

학력진단 전략 3회 | **124~127쪽**

01 10시 10분

02

03 4시 5분 전

04

＋	4	5	6	7
4	8	9	10	11
5	9	10	11	12
6	10	11	12	13
7	11	12	13	14

05 1

06 (1) 90 (2) 2, 20

07 (1) 오전 (2) 오후 (3) 오후

08~09

×	3	4	5	6
3	9	12	15	18
4	12	16	20	24
5	15	20	25	30
6	18	24	30	36

10 예 4씩 커지는 규칙이 있습니다.

11 (1) 30 (2) 3 (3) 22

12 ㅎ, 검은색

13 40분

14

일	월	화	수	목	금	토
				1	2	3	4
5	6	7	8	9	10	11
12	13	14	15	16	17	18
19	20	21	22	23	24	25
26	27	28	29	30	31	

15 (1) 수 (2) 수 (3) 금

16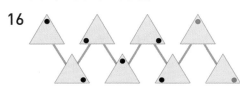

17 12시 23분

18 16개

정답 및 풀이

19 3시

20

	20	25
12	18	24	30
	21	28	35

02 8시 ⇨ 짧은바늘이 8과 9 사이를 가리키게 그립니다.
46분 ⇨ 긴바늘이 9에서 작은 눈금으로 1칸 더 간 곳을 가리키게 그립니다.

03 3시 55분은 4시가 되기 5분 전의 시각과 같으므로 4시 5분 전이라고 합니다.

05 ▨으로 칠해진 수는 9, 10, 11, 12이 므로 아래쪽으로 내려갈수록 1씩 커지는 규칙이 있습니다.

06 (1) 1시간은 60분이므로
1시간 30분=60분+30분=90분입 니다.
(2) 140분=120분+20분=2시간 20분

07 전날 밤 12시부터 낮 12시까지를 오전이 라 하고, 낮 12시부터 밤 12시까지를 오후 라고 합니다.

09 5씩 커지는 규칙이 있는 곳을 찾아 색칠합 니다.

10 12, 16, 20, 24로 4씩 커지고 있습니다.

11 (1) 1일 6시간=24시간+6시간=30시간
(2) 12개월은 1년이므로 36개월은 3년입 니다.
(3) 1년 10개월=12개월+10개월
=22개월

13 4시 50분 —10분 후→ 5시 —30분 후→ 5시 30분
공부를 하는 데 걸린 시간은
10분+30분=40분입니다.

14 달력은 같은 줄에서 오른쪽으로 1칸씩 갈 수록 1씩 커지고, 7월은 31일까지 있습 니다.

15 (2) 같은 요일은 7일마다 반복되므로 1주일 후도 15일과 같은 수요일입니다.
(3) 15일에서 5일 전은 10일이고, 10일 은 금요일입니다.

16 세모 안에 ●을 시계 방향으로 돌려 가며 그 린 규칙입니다.

17 시계의 짧은바늘은 12와 1 사이를 가리키므 로 12시이고, 긴바늘은 4에서 작은 눈금으 로 3칸 더 간 곳을 가리키므로 23분입니다. 따라서 시계가 나타내는 시각은 12시 23분 입니다.

18 쌓기나무가 위에서부터 1개, 3개, 5개······ 로 아래로 내려가면서 2개씩 늘어나는 규칙 입니다. ⇨ 1+3+5+7=16(개)

19 12시 30분에서 시작하여 30분씩 더해지 는 규칙이므로 2시 30분에서 30분 후는 3시입니다.

20 12에서 오른쪽으로 갈수록 6씩 커지므로 24+6=30, 28에서 위쪽으로 올라갈수 록 4씩 작아지므로 24−4=20, 35에서 왼쪽으로 갈수록 7씩 작아지므로 28−7=21입니다.

수학 문제해결력 강화 교재

2021 신간

AI인공지능을 이기는 인간의 **독해력 + 창의·사고력 UP**

수학도
독해가 힘이다

새로운 유형

문장제, 서술형, 사고력 문제 등
까다로운 유형의 문제를
쉬운 해결전략으로 연습

취약점 보완

연산·기본 문제는 잘 풀지만,
문장제나 사고력 문제를 힘들어하는
학생들을 위한 맞춤 교재

체계적 시스템

문제해결력 – 수학 사고력 –
수학 독해력 – 창의·융합·코딩으로
이어지는 체계적 커리큘럼

수학도 독해가 필수!
(초등 1~6학년/학기용)

정답은
이안에
있어!